les classiques illustr

œuvres & thè

Collection dirigée par **Pol Gaillard, Georges Sylnès**
et **Françoise Rachmuhl**

une œuvre

LE CID

un thème

VRAIS ET FAUX HÉROS

RABELAIS, CERVANTÈS, VERLAINE, CAMUS...

présentation de Raoul Mas
PROFESSEUR DE LETTRES CLASSIQUES

ISBN 2 - 218 - **05103** - 6

LES AUTEURS ET LES TEXTES

PREMIÈRE PARTIE : LE CID

DEUXIÈME PARTIE : VRAIS ET FAUX HÉROS

LES GRANDS THÈMES DE RÉFLEXION, D'IMAGINATION ET D'EXPRESSION

PREMIÈRE PARTIE

CORNEILLE
LE CID

PIERRE CORNEILLE

Quand il écrit *le Cid,* Pierre Corneille a trente ans. Il est né en effet le 6 juin 1606, à Rouen. Il a fait de brillantes études chez les Jésuites, puis, à dix-huit ans, il a été reçu avocat stagiaire. Il n'aurait plaidé qu'une fois, et mal, gêné par sa timidité naturelle.

Un jeune auteur

Mais il a déjà composé des vers, et bientôt c'est la vocation poétique qui l'emporte. Il écrit une comédie, *Mélite,* jouée avec succès à Paris en 1629 ou 1630. Il s'essaie alors dans la tragi-comédie avec *Clitandre,* puis revient aux comédies : *la Veuve, la Galerie du Palais, la Suivante, la Place Royale.* Il donne ensuite une tragédie, *Médée,* en 1635, puis une comédie particulièrement fantasque, *l'Illusion comique,* en 1636.

Corneille est donc maintenant connu surtout comme auteur de comédies. Mais il s'est essayé aussi dans d'autres genres, et pendant toute sa carrière il ne cessera d'ouvrir des voies nouvelles.

La gloire

A la fin de 1636 ou tout au début de 1637, il fait jouer *le Cid* au théâtre du Marais. C'est un triomphe comme l'histoire du théâtre n'en a jamais connu depuis. Les témoignages de l'époque ne laissent aucun doute à ce sujet : on lance l'expression « beau comme le Cid ».

Si le public s'enthousiasme, les rivaux sont envieux et déclenchent ce qu'on a appelé la *Querelle du Cid,* à laquelle Richelieu mettra un terme en soumettant le litige à l'arbitrage de l'Académie française, qu'il avait fondée depuis peu.

Une longue carrière

Après un silence de trois ans, Corneille revient au théâtre ; jusqu'en 1674, il aura fait jouer trente-cinq œuvres (dont trois en collaboration) dans tous les genres : comédies, tragi-comédies, tragédies, comédies héroïques, pièces à machines.

Il s'éteindra le 1er octobre 1684, supportant mal de voir sa gloire éclipsée par un jeune rival (qui avait trente-trois ans de moins que lui) : Racine.

L'homme

Celui qui enfanta tant de héros de théâtre ne ressemblait guère à ses personnages : selon son biographe Fontenelle, il avait « l'air fort simple et fort commun, toujours négligé et peu curieux (soucieux) de son extérieur » ; « sa prononciation n'était pas tout à fait nette. Il lisait ses vers avec force, mais sans grâce ». Il est vrai que Fontenelle note qu'il avait « les yeux pleins de feu, la physionomie vive ».

Il est intéressant de connaître ces détails, qui nous invitent à réfléchir au mystère de la création artistique.

LE CID

De l'histoire au mythe

Rodrigue Ruy Diaz de Bivar est né à Burgos, vers 1030, et mort en 1099. Vassal de Ferdinand 1er de Castille puis de ses fils, après une vie mouvementée, il passa les dernières années de sa vie à défendre le royaume de Valence contre les Mores[1]. Dans sa jeunesse, il avait reçu, après sa victoire dans un duel contre un chevalier navarrais, le titre de *Campéador* (Excellent), puis, dans une rencontre avec des Mores, celui de *Cid* (en arabe : Seigneur). Il avait épousé Ximena (en français : Chimène).

Le Cid devint vite un héros populaire, symbole de la résistance contre l'envahisseur more, et ses exploits remplissent une chanson de geste : *le Poème du Cid* (1140).

Plusieurs poèmes enrichissent la légende aux siècles suivants, jusqu'aux *romances* (poèmes typiquement espagnols) du XVIe siècle. Ainsi l'on imagine que Rodrigue a épousé la fille d'un gentilhomme qu'il avait tué.

---

1. *Mores* ou *Maures :* ce sont les habitants de l'ancienne Mauritanie (Maghreb). Convertis à l'Islam, ils envahissent l'Espagne en 712. C'est, de la part des États chrétiens, le début d'une longue résistance qui ne s'achèvera qu'en 1492. (Les *Mores* sont les *Sarrasins* de *la Chanson de Roland.)*

En 1618, un auteur espagnol, Guilhem de Castro, tira du *Romancero del Cid* la matière d'un drame : *Las Mocedades del Cid* (les Enfances du Cid), où il montre Chimène éprise de Rodrigue avant que celui-ci ne tue son père.

Corneille s'inspira d'assez près de ce modèle, au point qu'on peut parler d'adaptation, et il ne l'a jamais nié.

De la tragi-comédie à la tragédie

Au moment où Corneille écrit *le Cid,* la tragi-comédie est en grande faveur. Voici ce qui caractérise ce genre dramatique :

- l'histoire peut embrasser un long laps de temps, même plusieurs années ;
- l'action se déplace en différents lieux ;
- le tragique peut se mêler au comique (d'où le nom de tragi-comédie) ;
- l'intrigue est complexe, pouvant rassembler ou juxtaposer plusieurs actions ;
- les péripéties et coups de théâtre y sont nombreux ;
- le dénouement est heureux.

Dans une telle profusion baroque, les personnages sont presque toujours soumis à une simplification qui en fait des fantoches dépourvus d'humanité.

C'est sous le titre de « tragi-comédie » que Corneille présenta *le Cid.* Cependant il avait simplifié et condensé son modèle. Par exemple :

- l'action est ramenée de plusieurs mois à une journée ;
- le lieu général est Séville, mais ce lieu unique est fragmenté en quatre lieux particuliers ;
- des scènes d'un trop gros comique sont supprimées ;
- l'intrigue est resserrée et plus rigoureusement composée.

Mais surtout Corneille a le génie de faire porter tout l'intérêt sur la crise morale que traversent les héros : les péripéties ne sont plus de simples divertissements, mais ont pour but de mettre en valeur les caractères. Au hasard il substitue la volonté : la véritable action devient intérieure.

La tragi-comédie était jusqu'alors romanesque ; avec Corneille elle devient vraiment tragique ; et c'est pourquoi Corneille, bientôt, intitulera *le Cid :* tragédie.

Corneille et son temps

Conformément à l'usage de son époque (qui se prolongera très longtemps), Corneille ne cherche guère la couleur historique et locale ; c'est-à-dire qu'il ne prête pas à ses personnages les mœurs, ni le langage qui étaient ceux du XIe ou du XIIe siècle espagnol. Mis à part quelques détails, les sujets de Louis XIII pouvaient se reconnaître en Rodrigue ou en Chimène, en qui ils retrouvaient les valeurs morales pratiquées par l'aristocratie de l'époque :

- amour de la gloire, goût de l'aventure et du risque, au mépris de la mort ;
- amour d'une femme, qu'il faut conquérir en gagnant son estime.

La société noble n'admet pas une morale qui fait de l'amour une faiblesse : non seulement la conquête de la gloire n'empêche pas la conquête de la femme, bien au contraire elle en est le chemin nécessaire, à moins toutefois qu'un fâcheux concours de circonstances ne crée une situation particulièrement délicate, comme celles dont on débattait dans les romans et les salons précieux ; par exemple : un gentilhomme peut-il accepter de se battre en duel contre le père de sa fiancée ? Au cas où le père aurait été tué, la jeune fille peut-elle encore épouser celui qu'elle aime ?...

Mais d'autres questions se posaient encore aux contemporains de Richelieu, notamment des questions politiques ; par exemple : faut-il condamner la pratique du duel (auquel tenait la noblesse, qui y voyait précisément un moyen de satisfaire son goût du risque et d'acquérir du mérite, mais qui était interdit depuis 1626) ? Jusqu'où s'étend l'autorité d'un roi qui ne pourrait rien faire sans l'appui des grands du royaume ? Le devoir d'obéissance est-il sans limites ?

Ainsi *le Cid* nous présente essentiellement trois aspects :

- une série d'exploits héroïques ;
- une des plus belles histoires d'amour de la littérature française ;
- un thème de réflexion politique.

Et c'est sans doute cette richesse, toute nouvelle alors, qui faisait reconnaître à Chapelain, rédacteur des *Sentiments de l'Académie sur le Cid* (1637), « l'agrément inexplicable » d'une œuvre où il relevait pourtant quantité de défauts.

La langue de Corneille

La langue du XVIIe siècle n'est plus du « vieux français », puisque c'est à cette époque précisément que les grammairiens classiques ont voulu fixer la langue ; cependant celle-ci a continué à évoluer.

Ne soyez pas déroutés par quelques particularités dont voici les principales.

PARTICULARITÉS ORTHOGRAPHIQUES : graphies anciennes que l'on tolère en vers :

avecque pour *avec ; encor* pour *encore ; jusques* pour *jusque ; reçoi, voi* pour *reçois, vois.*

MOTS-OUTILS :

comme signifie aussi *comment* ou *combien*
dedans s'emploie pour *dans, dessous* pour *sous*
où, à qui pour *auquel ; trop* pour *très ; vers* pour *envers.*

VOCABULAIRE : certains mots avaient un sens beaucoup plus fort qu'aujourd'hui :

charmer (enchanter, ensorceler) ; *content* (satisfait)
déplaisir (désespoir, profonde affliction) ; *ennui* (vive peine)
étonner (frapper de stupeur) ; *étrange* (extraordinaire)
gêné (torturé) ; *ravir* (transporter de joie).

MOTS NOBLES ET PRÉCIEUX :

chef (tête), *fer* (épée), *hymen, hyménée* (mariage), *estomac* (poitrine).

L'amour s'exprime par des images ardentes : *feu, flamme,* ou qui évoquent une prison : *chaînes, fers, liens.*

L'amoureux payé de retour est un *amant,* et la femme qu'il aime est sa *maîtresse.*

MOTS CLÉS : certains mots que l'on rencontrera très souvent sont révélateurs des valeurs morales qui forment le climat de la tragédie :

cœur et *courage* se confondent souvent, désignant tantôt le siège du sentiment amoureux, tantôt l'énergie morale.

Le courage militaire en particulier s'exprime par les mots *vaillance* ou *valeur.*

L'honneur est *l'estime* accordée au *mérite,* à la *vertu,* et qui produit la *gloire :* c'est le propre des âmes *généreuses.* Le souci de l'honneur impose des *devoirs* très stricts.

Séville et le Guadalquivir.

Personnages

Trois pères :

Don Fernand, premier roi de Castille
Don Diègue
Le Comte de Gormas.

Trois enfants :

L'Infante de Castille, fille de don Fernand
Don Rodrigue, fils de don Diègue et « amant » de Chimène (ce qui signifie que Chimène est sensible à son amour)
Chimène, fille du Comte de Gormas.

Trois gentilshommes :

Don Sanche, « amoureux » de Chimène (ce qui signifie que Chimène ne répond pas à son amour)
Don Arias
Don Alonse.

Deux gouvernantes :

Léonor, gouvernante de l'Infante
Elvire, gouvernante de Chimène.

Un *Page* de l'Infante.

La scène est à Séville.

---

1. Orthographe poétique.
2. Ensorcelés, enchantés.
3. En lisant.
4. Agréer l'amour de Rodrigue, en l'épousant.
5. Enchanteur.
6. Intrigue.
7. Soupirants.
8. Chimène traite ses deux prétendants

ACTE PREMIER

Scène première

Nous sommes dans la chambre de CHIMÈNE, *chez son père, le Comte de Gormas. Chimène s'entretient avec sa gouvernante,* ELVIRE.

CHIMÈNE

Elvire, m'as-tu fait un rapport bien sincère ?
Ne déguises-tu rien de ce qu'a dit mon père ?

ELVIRE

Tous mes sens à moi-même en sont encor[1] charmés[2] :
Il estime Rodrigue autant que vous l'aimez,
5 Et si je ne m'abuse à lire[3] dans son âme,
Il vous commandera de répondre à sa flamme[4].

CHIMÈNE

Dis-moi donc, je te prie, une seconde fois
Ce qui te fait juger qu'il approuve mon choix :
Apprends-moi de nouveau quel espoir j'en dois prendre ;
10 Un si charmant[5] discours ne se peut trop entendre ;
Tu ne peux trop promettre aux feux de notre amour
La douce liberté de se montrer au jour.
Que t'a-t-il répondu sur la secrète brigue[6]
Que font auprès de toi don Sanche et don Rodrigue ?
15 N'as-tu point trop fait voir quelle inégalité
Entre ces deux amants[7] me penche d'un côté[8] ?

ELVIRE

Non ; j'ai peint votre cœur dans une indifférence[9]
Qui n'enfle d'aucun d'eux ni détruit[10] l'espérance,
Et sans les voir d'un œil trop sévère ou trop doux,
20 Attend l'ordre d'un père à[11] choisir un époux,
Ce respect l'a ravi[12], sa bouche et son visage

---

avec *inégalité,* parce que son cœur *penche* plus vers l'un que vers l'autre.
9. Égalité de sentiments.
10. En français moderne, il faudrait *ni ne détruit.*
11. Pour.
12. Transporté de joie.

M'en ont donné sur l'heure un digne témoignage,
Et puisqu'il vous en faut encor faire un récit,
Voici d'eux et de vous ce qu'en hâte il m'a dit :
25 « Elle est dans le devoir ; tous deux sont dignes d'elle,
Tous deux formés d'un sang noble, vaillant, fidèle,
Jeunes, mais qui font lire aisément dans leurs yeux
L'éclatante vertu de leurs braves aïeux.
Don Rodrigue surtout n'a trait[13] en son visage
30 Qui d'un homme de cœur ne soit la haute image,
Et sort d'une maison[14] si féconde en guerriers,
Qu'ils y prennent naissance au milieu des lauriers.
La valeur de son père, en son temps sans pareille,
Tant qu'a duré sa force, a passé pour merveille ;
35 Ses rides sur son front ont gravé ses exploits,
Et nous disent encor ce qu'il fut autrefois.
Je me promets du fils ce que j'ai vu du père ;
Et ma fille, en un mot, peut l'aimer et me plaire[15]. »
Il allait au conseil, dont l'heure qui pressait
40 A tranché ce discours[16] qu'à peine il commençait ;
Mais à ce peu de mots je crois que sa pensée
Entre vos deux amants n'est pas fort balancée[17].
Le roi doit à son fils élire[18] un gouverneur,
Et c'est lui que regarde[19] un tel degré d'honneur :
45 Ce choix n'est pas douteux, et sa rare vaillance
Ne peut souffrir qu'on craigne aucune concurrence.
Comme ses hauts exploits le rendent sans égal,
Dans un espoir si juste il sera sans rival ;
Et puisque don Rodrigue a résolu[20] son père
50 Au sortir du conseil à proposer l'affaire,
Je vous laisse à juger s'il prendra bien son temps,
Et si tous vos désirs seront bientôt contents[21].

---

13. *N'a* pas un *trait.*
14. Famille.
15. Peut l'aimer, et cela me fera plaisir.
16. Propos.
17. Hésitante.
18. Choisir.

CHIMÈNE

Il semble toutefois que mon âme troublée
Refuse cette joie et s'en trouve accablée :
55 Un moment donne au sort des visages[22] divers,
Et dans ce grand bonheur je crains un grand revers.

ELVIRE

Vous verrez cette crainte heureusement déçue[23].

CHIMÈNE

Allons, quoi qu'il en soit, en attendre l'issue.

Les deux femmes sortent.

Réfléchissons ensemble

Le texte, tel qu'il fut publié par Corneille, ne porte aucune indication de temps ni de lieu. C'était l'usage à l'époque, et c'est pour faciliter la lecture que nous avons cru bon de donner ces renseignements qui, à la représentation, sont fournis par le décor et les costumes.

1. Quelle est la seule indication qui, dans le texte, permet de situer l'action en Espagne ?

2. Qu'apprenons-nous dans cette scène ?

3. Comment vous apparaît Chimène dans cette scène ? Qu'est-ce qui montre la force de son amour pour Rodrigue ? Quelle est son attitude envers son père ? Comment comprenez-vous les appréhensions qu'elle manifeste à la fin de la scène ?

4. Comment jugez-vous le Comte de Gormas, d'après ce que rapporte Elvire ? Comment apprécie-t-il Rodrigue et son père ? Comment expliquez-vous qu'il n'imagine pas un instant que don Diègue puisse être choisi comme gouverneur du prince ?

---

19. Concerne : c'est le père de Chimène qui est tout indiqué pour ce grand honneur.
20. A décidé.
21. Satisfaits.
22. Aspects.
23. Trompée.

Scène II

Transportons-nous au palais du Roi, dans la chambre de L'INFANTE. *Celle-ci converse avec sa gouvernante,* LÉONOR.

L'Infante révèle qu'elle aime Rodrigue. Mais comme elle est fille de roi, elle ne peut épouser qu'un fils de roi. Afin de se guérir de sa passion, elle a elle-même poussé Chimène à aimer Rodrigue. Elle espère que leur mariage la guérira en lui ôtant définitivement tout espoir.

Scène III

Nous voici maintenant sur la place, devant le palais du Roi. LE COMTE *et* DON DIÈGUE *sortent du conseil où le Roi devait désigner un gouverneur pour son fils, le prince de Castille.*

LE COMTE

Enfin vous l'emportez, et la faveur du Roi
Vous élève en un rang qui n'était dû qu'à moi :
Il vous fait gouverneur du prince de Castille.

DON DIÈGUE

Cette marque d'honneur qu'il met dans ma famille
155 Montre à tous qu'il est juste, et fait connaître assez
Qu'il sait récompenser les services passés.

LE COMTE

Pour grands que soient les rois[1], ils sont ce que nous [sommes :
Ils peuvent se tromper comme les autres hommes ;
Et ce choix sert de preuve à tous les courtisans
160 Qu'ils savent mal payer les services présents.

DON DIÈGUE

Ne parlons plus d'un choix dont votre esprit s'irrite :
La faveur l'a pu faire autant que le mérite ;
Mais on doit ce respect au pouvoir absolu,
De n'examiner rien quand un roi l'a voulu.
165 A l'honneur qu'il m'a fait ajoutez-en un autre ;
Joignons d'un sacré nœud[2] ma maison et la vôtre :
Vous n'avez qu'une fille, et moi je n'ai qu'un fils ;

Leur hymen nous peut rendre à jamais plus qu'amis :
Faites-nous cette grâce, et l'acceptez[3] pour gendre.

LE COMTE

170 A des partis plus hauts ce beau fils doit prétendre ;
Et le nouvel éclat de votre dignité
Lui doit enfler le cœur d'une autre vanité.
Exercez-la, Monsieur, et gouvernez le Prince :
Montrez-lui comme il faut régir une province,
175 Faire trembler partout les peuples sous sa loi,
Remplir les bons d'amour, et les méchants d'effroi.
Joignez à ces vertus celles d'un capitaine :
Montrez-lui comme il faut s'endurcir à la peine,
Dans le métier de Mars[4] se rendre sans égal,
180 Passer les jours entiers et les nuits à cheval,
Reposer tout armé, forcer une muraille,
Et ne devoir qu'à soi le gain d'une bataille.
Instruisez-le d'exemple[5], et rendez-le parfait,
Expliquant à ses yeux vos leçons par l'effet[6].

DON DIÈGUE

185 Pour s'instruire d'exemple, en dépit de l'envie[7],
Il lira seulement l'histoire de ma vie.
Là, dans un long tissu de belles actions,
Il verra comme il faut dompter des nations,
Attaquer une place, ordonner[8] une armée,
190 Et sur de grands exploits bâtir sa renommée.

LE COMTE

Les exemples vivants sont d'un autre pouvoir ;
Un prince dans un livre apprend mal son devoir.
Et qu'a fait après tout ce grand nombre d'années,
Que ne puisse égaler une de mes journées[9] ?

---

1. Si *grands que soient les rois.*
2. D'un lien sacré.
3. *Acceptez-le.*
4. Le *métier* militaire : *Mars* était chez les Romains le dieu de la guerre.
5. Par *l'exemple.*
6. L'action.
7. Malgré ce que peuvent en dire les *envieux.*
8. Mettre en ordre de bataille.
9. Faits d'armes, batailles mémorables.

195 Si vous fûtes vaillant, je le suis aujourd'hui,
Et ce bras du royaume est le plus ferme appui.
Grenade et l'Aragon tremblent quand ce fer brille ;
Mon nom sert de rempart à toute la Castille :
Sans moi, vous passeriez bientôt sous d'autres lois,
200 Et vous auriez bientôt vos ennemis pour rois.
Chaque jour, chaque instant, pour rehausser ma gloire,
Met lauriers sur lauriers, victoire sur victoire :
Le Prince à mes côtés ferait dans les combats
L'essai de son courage à l'ombre de mon bras ;
205 Il apprendrait à vaincre en me regardant faire ;
Et pour répondre en hâte à son grand caractère,
Il verrait...

DON DIÈGUE

Je le sais, vous servez bien le Roi :
Je vous ai vu combattre et commander sous moi.
Quand l'âge dans mes nerfs[10] a fait couler sa glace,
210 Votre rare[11] valeur a bien rempli ma place ;
Enfin, pour épargner les discours superflus,
Vous êtes aujourd'hui ce qu'autrefois je fus.
Vous voyez toutefois qu'en cette concurrence[12]
Un monarque entre nous met quelque différence.

LE COMTE

215 Ce que je méritais, vous l'avez emporté.

DON DIÈGUE

Qui l'a gagné sur vous l'avait mieux mérité.

LE COMTE

Qui peut mieux l'exercer en est bien le plus digne.

DON DIÈGUE

En être refusé[13] n'en est pas un bon signe.

LE COMTE

Vous l'avez eu par brigue[14], étant vieux courtisan.

DON DIÈGUE

220 L'éclat de mes hauts faits fut mon seul partisan.

LE COMTE

Parlons-en mieux, le Roi fait honneur à votre âge.

DON DIÈGUE

Le Roi, quand il en fait, le mesure au courage.

LE COMTE

Et par là cet honneur n'était dû qu'à mon bras.

DON DIÈGUE

Qui n'a pu l'obtenir ne le méritait pas.

LE COMTE

225 Ne le méritait pas ! moi ?

DON DIÈGUE

Vous.

LE COMTE

Ton impudence,
Téméraire vieillard, aura sa récompense.

Le Comte donne un soufflet à don Diègue. Celui-ci, malgré son grand âge, tire aussitôt son épée.

DON DIÈGUE

Achève, et prends ma vie, après un tel affront,
Le premier dont ma race ait vu rougir son front.

LE COMTE

Et que penses-tu faire avec tant de faiblesse ?

Le Comte, lui aussi, dégaine. Le duel s'engage. Mais en quelques passes le Comte désarme son adversaire : l'épée de don Diègue tombe à terre.

DON DIÈGUE

230 O Dieu ! ma force usée en ce besoin[15] me laisse !

---

10. Autrefois, tendons et ligaments.
11. Exceptionnelle.
12. Rivalité (pour la place de gouverneur du Prince).
13. Se le voir *refuser*.
14. Intrigue.
15. Dans cette situation.

LE COMTE

Ton épée est à moi[16] ; mais tu serais trop vain,
Si ce honteux trophée[17] avait chargé ma main.
Adieu : fais lire au prince, en dépit de l'envie,
Pour son instruction, l'histoire de ta vie :
235 D'un insolent discours ce juste châtiment
Ne lui servira pas d'un petit ornement.

Il sort.

Scène IV

DON DIÈGUE *reste seul.*

O rage ! ô désespoir ! ô vieillesse ennemie !
N'ai-je donc tant vécu que pour cette infamie ?
Et ne suis-je blanchi dans les travaux[1] guerriers
240 Que pour voir en un jour flétrir tant de lauriers ?
Mon bras, qu'avec respect toute l'Espagne admire,
Mon bras, qui tant de fois a sauvé cet empire,
Tant de fois affermi le trône de son roi,
Trahit donc ma querelle[2], et ne fait rien pour moi ?
245 O cruel souvenir de ma gloire passée !
Œuvre de tant de jours en un jour effacée !
Nouvelle dignité, fatale à mon bonheur !
Précipice élevé d'où tombe mon honneur !
Faut-il de votre éclat voir triompher le Comte[3],
250 Et mourir sans vengeance, ou vivre dans la honte ?
Comte, sois de mon prince à présent gouverneur :
Ce haut rang n'admet point un homme sans honneur ;
Et ton jaloux orgueil, par cet affront insigne,

---

16. Celui qui avait désarmé un adversaire gardait son épée comme preuve de sa défaite.
17. Armes des ennemis vaincus : selon le Comte, don Diègue serait flatté dans sa vanité si son rival prenait son épée, car cela prouverait qu'il a eu le courage de se battre contre un adversaire beaucoup plus jeune et valide.

SCÈNE IV
1. Actions, exploits.

Malgré le choix du Roi, m'en a su rendre indigne.

Il ramasse son épée.

255 Et toi, de mes exploits glorieux instrument,
Mais d'un corps tout de glace inutile ornement,
Fer, jadis tant à craindre et qui, dans cette offense,
M'as servi de parade[4], et non pas de défense,
Va, quitte désormais le dernier des humains,
260 Passe, pour me venger, en de meilleures mains.

Scène V

RODRIGUE *venait précisément au-devant de son père.*

DON DIÈGUE

Rodrigue, as-tu du cœur[1] ?

DON RODRIGUE

Tout autre que mon père
L'éprouverait sur l'heure[2].

DON DIÈGUE

Agréable colère !
Digne ressentiment à ma douleur bien doux !
Je reconnais mon sang à ce noble courroux ;
265 Ma jeunesse revit en cette ardeur si prompte.
Viens, mon fils, viens, mon sang, viens réparer ma
[honte ;
Viens me venger.

DON RODRIGUE

De quoi ?

---

2. Cause, défense.
3. Le *triomphe* du Comte est rendu plus grand par l'*éclat* de la vie passée de don Diègue.
4. De parure, d'épée de *parade*.

SCÈNE V
1. Sentiments nobles.
2. Immédiatement : je punirais aussitôt tout autre qui me poserait une question aussi injurieuse.

DON DIÈGUE

D'un affront si cruel,
Qu'à l'honneur de tous deux il porte un coup mortel :
D'un soufflet. L'insolent en eût perdu la vie ;
270 Mais mon âge a trompé ma généreuse envie[3].
Et ce fer[4] que mon bras ne peut plus soutenir,
Je le remets au tien pour venger et punir.
Va contre un arrogant éprouver ton courage :
Ce n'est que dans le sang qu'on lave un tel outrage ;
275 Meurs ou tue. Au surplus, pour ne te point flatter[5],
Je te donne à combattre un homme à redouter :
Je l'ai vu, tout couvert de sang et de poussière,
Porter partout l'effroi dans une armée entière.
J'ai vu par sa valeur cent escadrons rompus ;
280 Et pour t'en dire encor quelque chose de plus,
Plus que brave soldat, plus que grand capitaine,
C'est...

DON RODRIGUE

De grâce, achevez.

DON DIÈGUE

Le père de Chimène.

DON RODRIGUE

Le...

DON DIÈGUE

Ne réplique point, je connais ton amour ;
Mais qui peut vivre infâme[6] est indigne du jour.
285 Plus l'offenseur est cher, et plus grande est l'offense.
Enfin tu sais l'affront, et tu tiens la vengeance :
Je ne te dis plus rien. Venge-moi, venge-toi ;
Montre-toi digne fils d'un père tel que moi.
Accablé des malheurs où le destin me range[7],

---

3. Volonté, intention.
4. Épée.
5. Pour ne rien te cacher.
6. Déshonoré.
7. Réduit.

290 Je vais les déplorer : va, cours, vole, et nous venge.

Don Diègue sort.

Scène VI

RODRIGUE *reste seul.*

Percé jusques au fond du cœur
D'une atteinte imprévue aussi bien que mortelle,
Misérable vengeur d'une juste querelle[1],
Et malheureux objet d'une injuste rigueur,
295 Je demeure immobile, et mon âme abattue
Cède au coup qui me tue.
Si près de voir mon feu[2] récompensé,
O Dieu, l'étrange[3] peine !
En cet affront mon père est l'offensé,
300 Et l'offenseur le père de Chimène !

Que je sens de rudes combats !
Contre mon propre honneur mon amour s'intéresse[4]:
Il faut venger un père, et perdre une maîtresse[5]:
L'un m'anime le cœur, l'autre retient mon bras.
305 Réduit au triste choix ou de trahir ma flamme,
Ou de vivre en infâme,
Des deux côtés mon mal est infini.
O Dieu, l'étrange peine !
Faut-il laisser un affront impuni ?
310 Faut-il punir le père de Chimène ?

Père, maîtresse, honneur, amour,
Noble et dure contrainte, aimable[6] tyrannie,
Tous mes plaisirs sont morts, ou ma gloire ternie[7].
L'un me rend malheureux, l'autre indigne du jour.

SCÈNE VI
1. Cause.
2. Amour.
3. Extraordinaire.
4. Prend parti.
5. Femme aimée.
6. Digne d'être aimée.
7. Mon honneur est entaché.

315 Cher et cruel espoir d'une âme généreuse[8],
Mais ensemble[9] amoureuse,
Digne ennemi de mon plus grand bonheur,
Fer[10] qui causes ma peine,
M'es-tu donné pour venger mon honneur ?
320 M'es-tu donné pour perdre ma Chimène ?

Il vaut mieux courir au trépas.
Je dois à[11] ma maîtresse aussi bien qu'à mon père :
J'attire en me vengeant sa haine et sa colère ;
J'attire ses mépris en ne me vengeant pas.
325 A mon plus doux espoir l'un me rend infidèle,
Et l'autre indigne d'elle.
Mon mal augmente à le vouloir guérir[12] ;
Tout redouble ma peine.
Allons, mon âme ; et puisqu'il faut mourir,
330 Mourons du moins sans offenser Chimène.

Mourir sans tirer ma raison[13] !
Rechercher un trépas si mortel à ma gloire !
Endurer que l'Espagne impute à ma mémoire[14]
D'avoir mal soutenu l'honneur de ma maison !
335 Respecter un amour dont mon âme égarée
Voit la perte assurée !
N'écoutons plus ce penser suborneur[15],
Qui ne sert qu'à ma peine.
Allons, mon bras, sauvons du moins l'honneur,
340 Puisqu'après tout il faut perdre Chimène.

Oui, mon esprit s'était déçu[16].
Je dois tout à mon père avant qu'à ma maîtresse :

---

8. Noble.
9. En même temps.
10. Épée.
11. J'ai des devoirs envers.
12. Quand je veux le guérir.
13. Me venger.
14. Que je laisse à l'Espagne le souvenir.
15. Cette pensée trompeuse.
16. Abusé.
17. Hésité.

Que je meure au combat, ou meure de tristesse,
Je rendrai mon sang pur comme je l'ai reçu.
345 Je m'accuse déjà de trop de négligence :
Courons à la vengeance ;
Et tout honteux d'avoir tant balancé[17],
Ne soyons plus en peine,
Puisqu'aujourd'hui mon père est l'offensé,
350 Si l'offenseur est père de Chimène.

Réfléchissons ensemble

Scène 3

1. Cette scène débute par un *coup de théâtre,* la révélation soudaine d'un fait qui bouleverse la situation. Quel est ce fait ? Dans quel état d'esprit est le Comte ?

2. Quelles conséquences entraîne ce fait inattendu ?

3. Comment appréciez-vous, d'après cette scène, les caractères respectifs du Comte et de don Diègue ? Quelle est notamment leur attitude l'un envers l'autre et devant l'autorité royale ?

4. Don Diègue n'a-t-il pas mal choisi son moment pour demander au Comte la main de sa fille ? Comment expliquez-vous cette maladresse pour le moins apparente ?

5. Estimez-vous que le Comte cherchait à tout prix le combat ? A votre avis, don Diègue aurait-il pu éviter l'affront ? Comment ?

Scène 4

La ponctuation indique clairement deux étapes dans les sentiments de don Diègue. Quels sentiments sont exprimés dans les phrases exclamatives et interrogatives ? Et dans les phrases déclaratives qui suivent ? Comment résout-il l'alternative posée au vers 250 ?

Scène 5

1. Pourquoi, selon vous, don Diègue aborde-t-il son fils en lui posant une question offensante ?

2. Montrez que don Diègue s'identifie parfaitement à son fils.

3. Pourquoi, à votre avis, don Diègue brosse-t-il un portrait redoutable de l'adversaire (vers 275 à 281) ?

4. Comment comprenez-vous l'hésitation de don Diègue et l'intervention pressante de Rodrigue au vers 282 ?

Scène 6

1. Quel sentiment dominant est exprimé dans la première strophe ?

2. Dans les strophes 2 et 3, relevez les oppositions qui montrent que Rodrigue est déchiré entre l'honneur et l'amour.

3. Quelle solution envisage Rodrigue à la strophe 4 et pourquoi l'écarte-t-il aux strophes 5 et 6 ?

Le monologue

La pratique du **monologue** dans une pièce de théâtre est contraire à toute vraisemblance : mais ce n'est qu'une des nombreuses *conventions* sans lesquelles le théâtre n'existerait pas, et qui ne choquent pas les spectateurs. Cette convention n'est pas admise au cinéma, où précisément elle paraîtrait par trop artificielle.

Pendant les monologues, l'action extérieure est suspendue : il ne se passe aucun événement nouveau ; cette intervention du *lyrisme* dans l'*épique* permet au spectateur à la fois de prendre du recul par rapport à l'action et d'approfondir les sentiments des personnages.

Mais le monologue n'est pas pour cela statique. Nous avons vu don Diègue passer rapidement du désespoir à la décision de se faire venger par son fils. Puis c'est Rodrigue qui, d'abord atterré, se ressaisit, analyse la situation, examine les solutions, puis se décide : nous voyons en quelques vers se construire le héros.

Comment les monologues sont-ils généralement rendus à la télévision (quand il ne s'agit pas de simples représentations filmées en scène) ?

Les stances

Le monologue de Rodrigue est présenté sous forme de *stances.* On appelle ainsi des strophes dont chacune, offrant un sens complet, est suivie d'une pause.

1. Quel mot marque ici la fin de chaque strophe, comme une sorte de refrain ? Quel effet produit cette répétition ?

2. De quelles sortes de vers variés sont composées ces stances ?

3. Étudiez la disposition des rimes.

ACTE II

Scène première

Un peu plus tard, le bruit de la querelle entre le Comte et don Diègue est parvenu jusqu'au Roi.

Nous sommes au palais, où DON ARIAS *a fait venir* LE COMTE *pour l'informer que le Roi exige une réparation.*

LE COMTE

Je l'avoue entre nous, mon sang un peu trop chaud
S'est trop ému d'un mot[1] et l'a porté trop haut[2],
Mais puisque c'en est fait, le coup est sans remède.

DON ARIAS

Qu'aux volontés du Roi ce grand courage[3] cède :
355 Il y[4] prend grande part, et son cœur irrité
Agira contre vous de pleine autorité.
Aussi vous n'avez point de valable défense :
Le rang de l'offensé, la grandeur de l'offense,
Demandent des devoirs et des submissions
360 Qui passent le commun des satisfactions[5].

LE COMTE

Le Roi peut à son gré disposer de ma vie.

DON ARIAS

De trop d'emportement votre faute est suivie.
Le Roi vous aime encore ; apaisez son courroux.
Il a dit : « Je le veux » ; désobéirez-vous ?

---

1. *S'est trop* emporté à cause *d'un mot.*
2. *Le porter haut :* se montrer fier et insoumis (comme un cheval qui porte la tête haute).
3. Ce cœur fier.
4. A cette affaire.
5. Des témoignages de soumission plus éclatants que les réparations habituelles, *communes* (où il suffisait que l'offenseur présente ses excuses à l'offensé).

LE COMTE

365 Monsieur, pour conserver tout ce que j'ai d'estime[6],
Désobéir un peu n'est pas un si grand crime ;
Et quelque grand qu'il soit, mes services présents
Pour le faire abolir[7] sont plus que suffisants.

DON ARIAS

Quoi qu'on fasse d'illustre et de considérable,
370 Jamais à son sujet un roi n'est redevable.
Vous vous flattez[8] beaucoup, et vous devez savoir
Que qui sert bien son roi ne fait que son devoir.
Vous vous perdrez, Monsieur, sur cette confiance[9].

LE COMTE

Je ne vous en croirai qu'après l'expérience.

DON ARIAS

375 Vous devez redouter la puissance d'un roi.

LE COMTE

Un jour seul ne perd pas un homme tel que moi.
Que toute sa grandeur s'arme pour mon supplice,
Tout l'État périra, s'il faut que je périsse.

DON ARIAS

Quoi ! vous craignez si peu le pouvoir souverain...

LE COMTE

380 D'un sceptre qui sans moi tomberait de sa main.
Il a trop d'intérêt lui-même en ma personne,
Et ma tête en tombant ferait choir sa couronne.

DON ARIAS

Souffrez que la raison remette vos esprits.
Prenez un bon conseil[10].

---

6. Bonne réputation.
7. Effacer, supprimer.
8. Vous vous faites des illusions.
9. A cause de votre *confiance* en vous.
10. Décision.
11. Compte.
12. C'est en vain que je m'efforce de vous persuader.
13. Aujourd'hui : la *foudre*.

LE COMTE

Le conseil en est pris.

DON ARIAS

385 Que lui dirai-je enfin ? Je lui dois rendre conte[11].

LE COMTE

Que je ne puis du tout consentir à ma honte.

DON ARIAS

Mais songez que les rois veulent être absolus.

LE COMTE

Le sort en est jeté, Monsieur, n'en parlons plus.

DON ARIAS

Adieu donc, puisqu'en vain je tâche à vous résoudre[12] :
390 Avec tous vos lauriers, craignez encor le foudre[13].

LE COMTE

Je l'attendrai sans peur.

DON ARIAS

Mais non pas sans effet.

LE COMTE

Nous verrons donc par là don Diègue satisfait.

Don Arias sort pour aller rendre compte au Roi de sa conversation avec le Comte.

Tout en parlant, le Comte va sortir du palais.

Qui ne craint point la mort ne craint point les menaces.
J'ai le cœur au-dessus des plus fières[14] disgrâces ;
395 Et l'on peut me réduire à vivre sans bonheur,
Mais non pas me résoudre à vivre sans honneur.

Scène II

Sur la place devant le palais, RODRIGUE *attendait la sortie du* COMTE. *Il l'interpelle.*

DON RODRIGUE

A moi, Comte, deux mots.

LE COMTE

Parle.

DON RODRIGUE

Ote-moi d'un doute.
Connais-tu bien don Diègue ?

LE COMTE

Oui.

DON RODRIGUE

Parlons bas[1] ; écoute.
Sais-tu que ce vieillard fut la même vertu[2],
400 La vaillance et l'honneur de son temps ? le sais-tu ?

LE COMTE

Peut-être.

DON RODRIGUE

Cette ardeur que dans les yeux je porte,
Sais-tu que c'est son sang ? le sais-tu ?

---

14. Cruelles.

SCÈNE II

1. Rodrigue ne veut pas que sa provocation soit entendue de témoins qui pourraient empêcher le combat.
2. Le courage même.
3. Sans t'emporter.

LE COMTE

Que m'importe ?

DON RODRIGUE

A quatre pas d'ici je te le fais savoir.

LE COMTE

Jeune présomptueux !

DON RODRIGUE

Parle sans t'émouvoir[3].

405 Je suis jeune, il est vrai ; mais aux âmes bien nées
La valeur n'attend point le nombre des années.

LE COMTE

Te mesurer à moi ! qui t'a rendu si vain[4],
Toi qu'on n'a jamais vu les armes à la main ?

DON RODRIGUE

Mes pareils à deux fois ne se font point connaître,
410 Et pour leurs coups d'essai veulent des coups de maître.

LE COMTE

Sais-tu bien qui je suis ?

DON RODRIGUE

Oui ; tout autre que moi
Au seul bruit de ton nom pourrait trembler d'effroi.
Les palmes dont je vois ta tête si couverte
Semblent porter écrit le destin de ma perte.
415 J'attaque en téméraire un bras toujours vainqueur ;
Mais j'aurai trop de force, ayant assez de cœur[5].
A qui venge son père il n'est rien impossible[6].
Ton bras est invaincu, mais non pas invincible.

LE COMTE

Ce grand cœur qui paraît aux discours que tu tiens,
420 Par tes yeux, chaque jour, se découvrait aux miens[7] ;
Et croyant voir en toi l'honneur de la Castille,

---

4. Vaniteux, prétentieux.
5. Parce que j'ai suffisamment de courage.
6. Aujourd'hui : *rien d'impossible.*
7. A mes yeux.

Mon âme avec plaisir te destinait ma fille.
Je sais ta passion, et suis ravi de voir
Que tous ses mouvements cèdent à ton devoir[8],
425 Qu'ils n'ont point affaibli cette ardeur magnanime ;
Que ta haute vertu répond à mon estime ;
Et que, voulant pour gendre un cavalier[9] parfait,
Je ne me trompais point au choix[10] que j'avais fait ;
Mais je sens que pour toi ma pitié s'intéresse[11] ;
430 J'admire ton courage, et je plains[12] ta jeunesse.
Ne cherche point à faire un coup d'essai fatal ;
Dispense ma valeur d'un combat inégal ;
Trop peu d'honneur pour moi suivrait cette victoire.
A vaincre sans péril, on triomphe sans gloire.
435 On te croirait toujours abattu sans effort ;
Et j'aurais seulement le regret de ta mort.

DON RODRIGUE

D'une indigne pitié ton audace est suivie :
Qui m'ose ôter l'honneur craint de m'ôter la vie ?

LE COMTE

Retire-toi d'ici.

DON RODRIGUE

Marchons sans discourir.

LE COMTE

Es-tu si las de vivre ?

DON RODRIGUE

440 As-tu peur de mourir ?

LE COMTE

Viens, tu fais ton devoir, et le fils dégénère[13]
Qui survit un moment à l'honneur de son père.

Ils sortent ensemble pour aller se battre en duel.

---

8. *Ton devoir* l'emporte sur les *mouvements* de ta *passion* (ton amour) pour Chimène.
9. Gentilhomme.
10. Dans le choix.
11. Je suis ému de pitié pour toi.
12. J'ai pitié de.
13. Il *dégénère, le fils qui...*

Réfléchissons ensemble

Scène 1

1. Comment expliquez-vous que le Comte se trouve au palais royal ?
Qu'a-t-il pu se passer pendant les scènes 4 à 6 de l'acte I et pendant l'entracte (voir le vers 385) ?

2. Quelles sont les « volontés du Roi » ?

3. Quelle est l'attitude du Comte devant les ordres du Roi ?
Relevez les expressions qui traduisent son intransigeance.

4. Cette scène vous paraît-elle très utile au déroulement de l'intrigue ? Dans quelle mesure est-elle une introduction à la scène suivante ?

Scène 2

1. Rodrigue demande au Comte de lui dire « deux mots », mais en fait c'est lui qui parle le plus pendant la première partie de la scène (397-418). Pourquoi fait-il l'éloge de son père (398-400) ? Pourquoi vante-t-il sa propre valeur (401-410) ? Pourquoi rappelle-t-il les mérites de son adversaire (411-415) ?

2. Quelle est l'attitude du Comte devant cette provocation inattendue (419-436) ?
Dans quelle intention, selon vous, reconnaît-il la « vertu » de Rodrigue tout en rappelant qu'il lui destinait sa fille ?
Est-ce seulement par « pitié » qu'il cherche à dissuader Rodrigue ?
Estimez-vous que Rodrigue a raison de juger cette pitié « indigne » ?

3. Quel est le mot qui rallume la colère de Rodrigue au vers 437, et quel est le mot qui décide le Comte à accepter enfin le combat au vers 441 ?

Les générations

Quel âge peut-on donner à Rodrigue, au Comte et à don Diègue ?
En quoi cette question d'âge est-elle une des clés de la tragédie ?
Quelle est la part de vigueur physique et d'expérience, en chacun de ces personnages ?
L'élément qui fera pencher la balance sera le « cœur », l'énergie morale. Le comte, dans son orgueil, se croit invulnérable. Citez des vers où s'exprime cette confiance en soi excessive.
A votre avis, cette assurance ne risque-t-elle pas de le rendre moins vigilant pendant le combat ?

Scène III

Rendons-nous chez L'INFANTE, *que* CHIMÈNE *est venue trouver pour lui faire part de ses craintes.* LÉONOR *est présente.*

Chimène a appris l'affront fait par son père à don Diègue. Elle redoute que celui-ci ne charge son fils de le venger, et elle sait que Rodrigue ne se dérobera pas à son devoir.

L'Infante propose alors de retenir Rodrigue prisonnier chez elle, jusqu'à ce que don Diègue obtienne une réparation.

Scène IV

A ce moment, LE PAGE *de l'Infante révèle que l'on a vu Rodrigue et le Comte sortir en se querellant.*

Chimène comprend aussitôt que l'irréparable s'est produit, et elle court rejoindre les combattants.

Scène V

L'INFANTE, *restée seule avec* LÉONOR, *lui avoue que cette division des deux familles lui cause « un plaisir secret » : si Rodrigue sort vainqueur d'un si valeureux adversaire, on peut imaginer qu'il sera un grand conquérant et qu'il deviendra roi lui-même ; l'Infante alors pourrait l'épouser.*

Scène VI

Transportons-nous chez le Roi DON FERNAND, *à qui* DON ARIAS *vient de rendre compte, en présence de* DON SANCHE, *de son entrevue avec le Comte.*

DON FERNAND

Le Comte est donc si vain[1], et si peu raisonnable !
Ose-t-il croire encor son crime pardonnable ?

DON ARIAS

Je l'ai de votre part longtemps entretenu ;
560 J'ai fait mon pouvoir[2], Sire, et n'ai rien obtenu.

---

1. Vaniteux, prétentieux.
2. Ce que j'ai pu.
3. Trop hardi.
4. Caractère.

DON FERNAND

Justes cieux ! ainsi donc un sujet téméraire[3]
A si peu de respect et de soin de me plaire !
Il offense don Diègue, et méprise son roi !
Au milieu de ma cour il me donne la loi !
565 Qu'il soit brave guerrier, qu'il soit grand capitaine,
Je saurai bien rabattre une humeur[4] si hautaine.
Fût-il la valeur même, et le dieu des combats,
Il verra ce que c'est que de n'obéir pas.
Quoi qu'ait pu mériter une telle insolence,
570 Je l'ai voulu d'abord traiter sans violence ;
Mais puisqu'il en abuse, allez dès aujourd'hui.
Soit qu'il résiste ou non, vous assurer de lui[5].

DON SANCHE

Peut-être un peu de temps le rendrait moins rebelle :
On l'a pris tout bouillant encor de sa querelle ;
575 Sire, dans la chaleur d'un premier mouvement,
Un cœur si généreux[6] se rend malaisément.
Il voit bien qu'il a tort, mais une âme si haute
N'est pas sitôt réduite à confesser sa faute.

DON FERNAND

Don Sanche, taisez-vous, et soyez averti
580 Qu'on se rend criminel à prendre[7] son parti.

DON SANCHE

J'obéis, et me tais ; mais de grâce encor, Sire,
Deux mots en sa défense.

DON FERNAND

Et que pourrez-vous dire ?

---

5. Arrêtez-le, ou tout au moins faites en sorte qu'il ne puisse pas quitter sa maison.
6. Noble, ayant des sentiments élevés.
7. En prenant.

DON SANCHE

Qu'une âme accoutumée aux grandes actions
Ne se peut abaisser à des submissions[8] :
585 Elle n'en conçoit point qui s'expliquent sans honte[9] ;
Et c'est à ce mot seul qu'a résisté le Comte.
Il trouve en son devoir un peu trop de rigueur,
Et vous obéirait, s'il avait moins de cœur.
Commandez que son bras, nourri dans les alarmes[10],
590 Répare cette injure à la pointe des armes ;
Il satisfera, Sire ; et vienne qui voudra,
Attendant qu'il l'ait su, voici qui répondra[11].

DON FERNAND

Vous perdez le respect ; mais je pardonne à l'âge,
Et j'excuse l'ardeur en un jeune courage[12].
595 Un roi dont la prudence a de meilleurs objets
Est meilleur ménager[13] du sang de ses sujets :
Je veille pour les miens, mes soucis les conservent,
Comme le chef[14] a soin des membres qui le servent.
Ainsi votre raison n'est pas raison pour moi :
600 Vous parlez en soldat ; je dois agir en roi ;
Et quoi qu'on veuille dire, et quoi qu'il ose croire,
Le Comte à m'obéir ne peut perdre sa gloire.
D'ailleurs l'affront me touche : il a perdu d'honneur[15]
Celui que de mon fils j'ai fait le gouverneur ;
605 S'attaquer à mon choix, c'est se prendre à moi-même,
Et faire un attentat sur le pouvoir suprême.
N'en parlons plus. Au reste, on a vu dix vaisseaux
De nos vieux ennemis arborer les drapeaux ;
Vers la bouche du fleuve[16] ils ont osé paraître.

---

8. Soumissions, témoignages d'obéissance.
9. Elle ne conçoit pas de soumissions qui ne déshonorent celui qui s'y soumet.
10. Alertes devant une attaque inattendue *(A l'arme !)*.
11. Il désigne son épée. Quel que soit celui qui voudra se battre contre le Comte, en attendant que ce dernier en ait été informé, je me battrai à sa place.
12. Cœur.

DON ARIAS

610 Les Mores ont appris par force à vous connaître,
Et tant de fois vaincus, ils ont perdu le cœur[17]
De se plus hasarder[18] contre un si grand vainqueur.

DON FERNAND

Ils ne verront jamais sans quelque jalousie
Mon sceptre, en dépit d'eux, régir l'Andalousie ;
615 Et ce pays si beau, qu'ils ont trop possédé,
Avec un œil d'envie est toujours regardé.
C'est l'unique raison qui m'a fait dans Séville[19]
Placer depuis dix ans le trône de Castille,
Pour les voir de plus près, et d'un ordre plus prompt[20]
620 Renverser aussitôt ce qu'ils entreprendront.

DON ARIAS

Ils savent aux dépens de leurs plus dignes têtes
Combien votre présence assure vos conquêtes :
Vous n'avez rien à craindre.

DON FERNAND

Et rien à négliger :
Le trop de confiance attire le danger ;
625 Et vous n'ignorez pas qu'avec fort peu de peine
Un flux de pleine mer jusqu'ici les amène.
Toutefois j'aurais tort de jeter dans les cœurs,
L'avis étant mal sûr, de paniques terreurs.
L'effroi que produirait cette alarme inutile,
630 Dans la nuit qui survient troublerait trop la ville :
Faites doubler la garde aux murs et sur le port.
C'est assez pour ce soir.

Don Arias sort pour aller exécuter les ordres reçus.

---

13. Économe.
14. Tête.
15. Déshonoré.
16. L'embouchure du Guadalquivir.
17. Courage.
18. De *se hasarder* encore une fois.
19. La prononciation moderne *(sévil)* rend la rime fausse.
20. En pouvant transmettre plus rapidement mon ordre.

Scène VII

DON ALONSE *entre soudain.*

DON ALONSE

Sire, le Comte est mort :
Don Diègue, par son fils, a vengé son offense.

DON FERNAND

Dès que j'ai su l'affront, j'ai prévu la vengeance ;
635 Et j'ai voulu dès lors prévenir ce malheur.

DON ALONSE

Chimène à vos genoux apporte sa douleur ;
Elle vient tout en pleurs vous demander justice.

DON FERNAND

Bien qu'à ses déplaisirs[1] mon âme compatisse,
Ce que le Comte a fait semble avoir mérité
640 Ce digne châtiment de sa témérité.
Quelque juste pourtant que puisse être sa peine,
Je ne puis sans regret perdre un tel capitaine.
Après un long service à mon État rendu,
Après son sang pour moi mille fois répandu,
645 A quelques sentiments que[2] son orgueil m'oblige,
Sa perte m'affaiblit, et son trépas m'afflige.

---

1. Douleurs, désespoir.

2. Quels que soient les *sentiments* auxquels...

Scène VIII

CHIMÈNE *et* DON DIÈGUE *entrent et se précipitent aux pieds du Roi.* DON ARIAS *les accompagne.*

CHIMÈNE

Sire, Sire, justice !

DON DIÈGUE

Ah ! Sire, écoutez-nous.

CHIMÈNE

Je me jette à vos pieds.

DON DIÈGUE

J'embrasse vos genoux.

CHIMÈNE

Je demande justice.

DON DIÈGUE

Entendez ma défense.

CHIMÈNE

650 D'un jeune audacieux punissez l'insolence :
Il a de votre sceptre abattu le soutien,
Il a tué mon père.

DON DIÈGUE

Il a vengé le sien.

CHIMÈNE

Au sang de ses sujets un roi doit la justice.

DON DIÈGUE

Pour la juste vengeance il n'est point de supplice.

DON FERNAND

655 Levez-vous l'un et l'autre, et parlez à loisir.
Chimène, je prends part à votre déplaisir[1] ;
D'une égale douleur je sens mon âme atteinte.

---

1. Douleur.

A don Diègue.

Vous parlerez après ; ne troublez pas sa plainte.

CHIMÈNE

Sire, mon père est mort ; mes yeux ont vu son sang
660 Couler à gros bouillons de son généreux[2] flanc ;
Ce sang qui tant de fois garantit vos murailles,
Ce sang qui tant de fois vous gagna des batailles,
Ce sang qui tout sorti fume encor de courroux
De se voir répandu pour d'autres que pour vous,
665 Qu'au milieu des hasards n'osait verser la guerre,
Rodrigue en votre cour vient d'en couvrir la terre.
J'ai couru sur le lieu, sans force et sans couleur :
Je l'ai trouvé sans vie. Excusez ma douleur,
Sire, la voix me manque à ce récit funeste ;
670 Mes pleurs et mes soupirs vous diront mieux le reste.

DON FERNAND

Prends courage, ma fille, et sache qu'aujourd'hui
Ton roi te veut servir de père au lieu de lui.

CHIMÈNE

Sire, de trop d'honneur ma misère est suivie.
Je vous l'ai déjà dit, je l'ai trouvé sans vie ;
675 Son flanc était ouvert ; et, pour mieux m'émouvoir,
Son sang sur la poussière écrivait mon devoir ;
Ou plutôt sa valeur en cet état réduite
Me parlait par sa plaie, et hâtait ma poursuite[3] ;
Et, pour se faire entendre au plus juste des rois,
680 Par cette triste bouche[4] elle empruntait ma voix.
Sire, ne souffrez pas que sous votre puissance
Règne devant vos yeux une telle licence ;
Que les plus valeureux, avec impunité,
Soient exposés aux coups de la témérité ;

---

2. Noble.
3. M'incitait à *poursuivre* en justice le coupable.
4. Par les « lèvres » de la *plaie*.
5. Allégement, soulagement.

685 Qu'un jeune audacieux triomphe de leur gloire,
Se baigne dans leur sang, et brave leur mémoire.
Un si vaillant guerrier qu'on vient de vous ravir
Éteint, s'il n'est vengé, l'ardeur de vous servir.
Enfin mon père est mort, j'en demande vengeance,
690 Plus pour votre intérêt que pour mon allégeance[5].
Vous perdez en la mort d'un homme de son rang :
Vengez-la par une autre, et le sang par le sang.
Immolez, non à moi, mais à votre couronne,
Mais à votre grandeur, mais à votre personne ;
695 Immolez, dis-je, Sire, au bien de tout l'État
Tout ce qu'enorgueillit un si haut attentat.

DON FERNAND

Don Diègue, répondez.

DON DIÈGUE

Qu'on est digne d'envie
Lorsqu'en perdant la force on perd aussi la vie,
Et qu'un long âge[6] apprête aux hommes généreux,
700 Au bout de leur carrière, un destin malheureux !
Moi, dont les longs travaux[7] ont acquis tant de gloire,
Moi, que jadis partout a suivi la victoire,
Je me vois aujourd'hui, pour avoir trop vécu,
Recevoir un affront et demeurer vaincu.
705 Ce que n'a pu jamais combat, siège, embuscade,
Ce que n'a pu jamais Aragon ni Grenade,
Ni tous vos ennemis, ni tous mes envieux[8],
Le Comte en votre cour l'a fait presque à vos yeux,
Jaloux de votre choix, et fier de l'avantage
710 Que lui donnait sur moi l'impuissance de l'âge.
Sire, ainsi ces cheveux blanchis sous le harnois[9],
Ce sang pour vous servir prodigué tant de fois,
Ce bras, jadis l'effroi d'une armée ennemie,
Descendaient au tombeau tout chargés d'infamie,

---

6. Vie.
7. Exploits militaires.
8. Rivaux, émules.
9. Armure.

715 Si je n'eusse produit un fils digne de moi,
Digne de son pays et digne de son roi.
Il m'a prêté sa main, il a tué le Comte ;
Il m'a rendu l'honneur, il a lavé ma honte.
Si montrer du courage et du ressentiment,
720 Si venger un soufflet mérite un châtiment,
Sur moi seul doit tomber l'éclat de la tempête :
Quand le bras a failli[10], l'on en punit la tête.
Qu'on nomme crime, ou non, ce qui fait nos débats,
Sire, j'en suis la tête, il n'en est que le bras.
725 Si Chimène se plaint qu'il a tué son père,
Il ne l'eût jamais fait si je l'eusse pu faire.
Immolez donc ce chef[11] que les ans vont ravir,
Et conservez pour vous le bras qui peut servir.
Aux dépens de mon sang satisfaites Chimène :
730 Je n'y résiste point, je consens à ma peine ;
Et loin de murmurer d'un rigoureux décret,
Mourant sans déshonneur, je mourrai sans regret.

DON FERNAND

L'affaire est d'importance, et, bien considérée,
Mérite en plein conseil d'être délibérée.
735 Don Sanche, remettez[12] Chimène en sa maison.
Don Diègue aura ma cour et sa foi[13] pour prison.
Qu'on me cherche son fils. Je vous ferai justice.

CHIMÈNE

Il est juste, grand Roi, qu'un meurtrier périsse.

DON FERNAND

Prends du repos, ma fille, et calme tes douleurs.

CHIMÈNE

740 M'ordonner du repos, c'est croître[14] mes malheurs.

---

10. A commis une faute.
11. Tête.
12. Ramenez.
13. Sa parole, sa promesse.
14. Accroître, augmenter.

Réfléchissons ensemble

Ces trois scènes forment une péripétie unique : l'annonce de la mort du Comte, à la scène 7, renverse la situation.

Scène 6

1. De quelle scène antérieure cette scène est-elle la suite ?

2. Quelle est la décision de don Fernand concernant le Comte ? Comment la justifie-t-il ?

3. Pourquoi don Sanche propose-t-il une réparation par les armes, et pourquoi le Roi la refuse-t-il ? Savent-ils à ce moment que Rodrigue est précisément en train de se battre contre le Comte ?

4. La nouvelle de l'incursion des Mores vous paraît-elle bien amenée ? Quel rapport a-t-elle avec la condamnation du duel ?

Scène 7

Montrez que ce coup de théâtre se produit à un moment particulièrement dramatique pour le Roi.

Scène 8

Après une sorte de prélude formé des deux cris symétriques de Chimène et de don Diègue (647-654), le Roi les invite à parler tour à tour.

1. Dans quel état d'esprit est Chimène ? Sur quels arguments appuie-t-elle son accusation ?

2. Dans quel état d'esprit est don Diègue ? Comment se justifie-t-il ?

3. Pourquoi don Fernand n'a-t-il pas un mot pour reprocher à Rodrigue de s'être battu en duel, alors qu'il vient de dire qu'il réprouve cette pratique ?

Imaginons

Don Alonse, à la scène 7, n'est pas bavard ! Il aurait pu donner quelques détails expliquant la défaite invraisemblable du Comte.

Sa confiance en lui a-t-elle rendu le Comte maladroit, l'a-t-elle « déconcentré », lui a-t-elle fait prendre des risques fatals ? Ou bien le destin lui a-t-il fait faire un faux pas, glisser la main ? Une poussière dans l'œil lui a-t-elle troublé la vue ? Vous imaginerez peut-être d'autres causes.

Vous rédigerez le récit détaillé du combat. Il ne vous est pas interdit, bien au contraire, d'utiliser l'alexandrin, et même d'essayer de pasticher le style de Corneille.

ACTE III

Scène première

Le soir, chez Chimène, ELVIRE *attend le retour de sa maîtresse.* RODRIGUE *se présente, espérant y trouver Chimène.*

ELVIRE

Rodrigue, qu'as-tu fait ? où viens-tu, misérable ?

DON RODRIGUE

Suivre le triste cours de mon sort déplorable.

ELVIRE

Où prends-tu cette audace et ce nouvel orgueil,
De paraître en des lieux que tu remplis de deuil ?
745 Quoi ? viens-tu jusqu'ici braver l'ombre du Comte ?
Ne l'as-tu pas tué ?

DON RODRIGUE

Sa vie était ma honte :
Mon honneur de ma main a voulu cet effort.

ELVIRE

Mais chercher ton asile en la maison du mort !
Jamais un meurtrier en fit-il son refuge ?

DON RODRIGUE

750 Et je n'y viens aussi que m'offrir à mon juge.
Ne me regarde plus d'un visage étonné[1] ;
Je cherche le trépas après l'avoir donné.
Mon juge est mon amour, mon juge est ma Chimène :
Je mérite la mort de mériter sa haine[2],
755 Et j'en viens recevoir, comme un bien souverain,
Et l'arrêt de sa bouche, et le coup de sa main.

---

1. Frappé de stupeur.
2. Du fait que je mérite sa haine.

ELVIRE

Fuis plutôt de[3] ses yeux, fuis de sa violence ;
A ses premiers transports dérobe ta présence :
Va, ne t'expose point aux premiers mouvements
760 Que poussera l'ardeur de ses ressentiments[4].

DON RODRIGUE

Non, non, ce cher objet[5] à qui j'ai pu déplaire
Ne peut pour mon supplice avoir trop de colère ;
Et j'évite cent morts qui me vont accabler,
Si pour mourir plus tôt je puis la redoubler[6].

ELVIRE

765 Chimène est au palais, de pleurs toute baignée,
Et n'en reviendra point que[7] bien accompagnée.
Rodrigue, fuis, de grâce : ôte-moi de souci[8].
Que ne dira-t-on point si l'on te voit ici ?
Veux-tu qu'un médisant, pour comble à sa misère,
770 L'accuse d'y souffrir l'assassin de son père ?
Elle va revenir ; elle vient, je la voi[9] :
Du moins, pour son honneur, Rodrigue, cache-toi.

Rodrigue se cache : il entendra tout ce qui se dira pendant les scènes suivantes.

Scène II

CHIMÈNE *revient du palais, accompagnée de* DON SANCHE.

DON SANCHE

Oui, Madame, il vous faut de sanglantes victimes :
Votre colère est juste, et vos pleurs légitimes ;
775 Et je n'entreprends pas, à force de parler,

---

3. Loin de.
4. Aux réactions immédiates que provoqueront ses violents *ressentiments.*
5. Être aimé.
6. *J'évite cent* peines cruelles comme la *mort... si pour* qu'elle me fasse *mourir plus tôt je puis redoubler* sa colère.
7. Sans être.
8. Libère-moi du souci.
9. Orthographe ancienne de *vois.*

Ni de vous adoucir, ni de vous consoler.
Mais si de vous servir je puis être capable,
Employez mon épée à punir le coupable ;
Employez mon amour à venger cette mort :
780 Sous vos commandements mon bras sera trop[1] fort.

CHIMÈNE

Malheureuse !

DON SANCHE

De grâce, acceptez mon service.

CHIMÈNE

J'offenserais le Roi, qui m'a promis justice.

DON SANCHE

Vous savez qu'elle[2] marche avec tant de langueur[3],
Qu'assez souvent le crime échappe à sa longueur[4],
785 Son cours lent et douteux fait trop perdre de larmes.
Souffrez qu'un cavalier[5] vous venge par les armes :
La voie en est plus sûre, et plus prompte à punir.

CHIMÈNE

C'est le dernier remède ; et s'il faut y venir,
Et que de mes malheurs cette pitié vous dure,
790 Vous serez libre alors de venger mon injure[6].

DON SANCHE

C'est l'unique bonheur où[7] mon âme prétend ;
Et, pouvant l'espérer, je m'en vais trop content[8].

Don Sanche se retire.

SCÈNE II
1. Très.
2. La justice.
3. Mollesse, faiblesse.
4. Lenteur.
5. Gentilhomme.
6. L'outrage que j'ai subi.
7. Auquel.
8. Puisque je *peux l'espérer, je m'en vais* totalement satisfait.

Scène III

CHIMÈNE *reste seule – du moins le croit-elle – avec* ELVIRE.

CHIMÈNE

Enfin je me vois libre[1], et je puis sans contrainte
De mes vives douleurs te faire voir l'atteinte ;
795 Je puis donner passage à mes tristes soupirs ;
Je puis t'ouvrir mon âme et tous mes déplaisirs[2].
Mon père est mort, Elvire ; et la première épée
Dont s'est armé Rodrigue, a sa trame coupée[3],
Pleurez, pleurez, mes yeux, et fondez-vous en eau !
800 La moitié de ma vie a mis l'autre au tombeau[4],
Et m'oblige à venger, après ce coup funeste,
Celle que je n'ai plus sur celle qui me reste.

ELVIRE

Reposez-vous[5], Madame.

CHIMÈNE

Ah ! que mal à propos
Dans un malheur si grand tu parles de repos !
805 Par où sera jamais ma douleur apaisée[6],
Si je ne puis haïr la main qui l'a causée ?
Et que dois-je espérer qu'un[7] tourment éternel,
Si je poursuis un crime, aimant le criminel ?

ELVIRE

Il vous prive d'un père, et vous l'aimez encore !

---

1. Débarrassée de la présence de don Sanche.
2. Angoisses.
3. *A coupé* la *trame* (le fil) de sa vie.
4. Chimène aimait également son père et son prétendant, qui à eux deux emplissaient sa vie.
5. Calmez-vous.
6. Comment *ma douleur sera*-t-elle *jamais apaisée ?*
7. D'autre *qu'un.*
8. Dans.

CHIMÈNE

810 C'est peu de dire aimer, Elvire : je l'adore ;
Ma passion s'oppose à mon ressentiment ;
Dedans[8] mon ennemi je trouve mon amant[9] ;
Et je sens qu'en dépit de toute ma colère,
Rodrigue dans mon cœur combat encor mon père :
815 Il l'attaque, il le presse, il cède, il se défend,
Tantôt fort, tantôt faible, et tantôt triomphant ;
Mais, en ce dur combat de colère et de flamme[10],
Il déchire mon cœur sans partager mon âme[11],
Et quoi que mon amour ait sur moi de pouvoir,
820 Je ne consulte point[12] pour suivre mon devoir :
Je cours sans balancer [13] où mon honneur m'oblige.
Rodrigue m'est bien cher, son intérêt[14] m'afflige ;
Mon cœur prend son parti ; mais, malgré son effort,
Je sais ce que je suis, et que mon père est mort.

ELVIRE

825 Pensez-vous le poursuivre[15] ?

CHIMÈNE

Ah ! cruelle pensée !
Et cruelle poursuite où je me vois forcée !
Je demande sa tête, et crains de l'obtenir :
Ma mort suivra la sienne, et je le veux punir !

ELVIRE

Quittez, quittez, Madame, un dessein si tragique ;
830 Ne vous imposez point de loi si tyrannique.

CHIMÈNE

Quoi ! mon père étant mort, et presque entre mes bras,
Son sang criera vengeance, et je ne l'orrai[16] pas !

---

9. Celui que j'aime et qui m'aime.
10. Amour.
11. Mes sentiments *(mon cœur)* sont *déchirés,* mais ma raison *(mon âme)* n'est pas *partagée :* elle n'oublie pas quel est son devoir.
12. Je ne réfléchis pas, je ne cherche pas de conseils.
13. Hésiter, peser le pour et le contre.
14. *L'intérêt,* la passion qu'il m'inspire.
15. Demander justice contre lui.
16. Entendrai (futur du verbe *ouïr).*

Mon cœur, honteusement surpris par d'autres charmes[17],
Croira ne lui devoir que d'impuissantes larmes !
835 Et je pourrai souffrir qu'un amour suborneur[18]
Sous un lâche silence étouffe mon honneur !

ELVIRE

Madame, croyez-moi, vous serez excusable
D'avoir moins de chaleur contre un objet[19] aimable,
Contre un amant si cher : vous avez assez fait,
840 Vous avez vu le Roi ; n'en pressez point l'effet,
Ne vous obstinez point en cette humeur étrange[20].

CHIMÈNE

Il y va de ma gloire, il faut que je me venge ;
Et de quoi que nous flatte un désir amoureux,
Toute excuse est honteuse aux esprits généreux.

ELVIRE

845 Mais vous aimez Rodrigue, il ne vous peut déplaire.

CHIMÈNE

Je l'avoue.

ELVIRE

Après tout, que pensez-vous donc faire ?

CHIMÈNE

Pour conserver ma gloire et finir mon ennui[21],
Le poursuivre, le perdre, et mourir après lui.

Scène IV

RODRIGUE *sort de sa cachette.*

DON RODRIGUE

Eh bien ! sans vous donner la peine de poursuivre,
850 Assurez-vous l'honneur de m'empêcher de vivre.

---

17. Attraits magiques.
18. Séducteur, capable de me détourner de mon devoir.
19. Être aimé.
20. Excessive.
21. Affliction profonde, désespoir.

CHIMÈNE

Elvire, où sommes-nous, et qu'est-ce que je voi[1] ?
Rodrigue en ma maison ! Rodrigue devant moi !

DON RODRIGUE

N'épargnez point mon sang : goûtez sans résistance
La douceur de ma perte et de votre vengeance.

CHIMÈNE

855 Hélas !

DON RODRIGUE

Écoute-moi.

CHIMÈNE

Je me meurs.

DON RODRIGUE

Un moment.

CHIMÈNE

Va, laisse-moi mourir.

DON RODRIGUE

Quatre mots seulement :
Après, ne me réponds qu'avecque[2] cette épée.

Rodrigue tire son épée et la tend à Chimène, qui ne la prend pas.

CHIMÈNE

Quoi ! du sang de mon père encor toute trempée !

DON RODRIGUE

Ma Chimène...

CHIMÈNE

Ote-moi cet objet odieux,
860 Qui reproche ton crime et ta vie à mes yeux.

SCÈNE IV
1. *Vois.*

2. Forme ancienne de *avec.*

DON RODRIGUE

Regarde-le plutôt pour exciter ta haine,
Pour croître[3] ta colère et pour hâter ma peine.

CHIMÈNE

Il est teint de mon sang.

DON RODRIGUE

Plonge-le dans le mien,
Et fais-lui perdre ainsi la teinture du tien.

CHIMÈNE

865 Ah ! quelle cruauté, qui tout en un jour tue
Le père par le fer, la fille par la vue !
Ote-moi cet objet, je ne le puis souffrir :
Tu veux que je t'écoute, et tu me fais mourir !

Rodrigue remet son épée au fourreau.

DON RODRIGUE

Je fais ce que tu veux, mais sans quitter l'envie
870 De finir par tes mains ma déplorable vie ;
Car enfin n'attends pas de mon affection
Un lâche repentir d'une bonne action.
L'irréparable effet d'une chaleur trop prompte[4]
Déshonorait mon père, et me couvrait de honte.
875 Tu sais comme un soufflet touche un homme de cœur ;
J'avais part à l'affront, j'en ai cherché l'auteur :
Je l'ai vu, j'ai vengé mon honneur et mon père ;
Je le ferais encor, si j'avais à le faire.
Ce n'est pas qu'en effet[5] contre mon père et moi
880 Ma flamme assez longtemps n'ait combattu pour toi ;
Juge de son pouvoir : dans une telle offense
J'ai pu délibérer[6] si j'en prendrais vengeance.
Réduit à te déplaire, ou souffrir un affront,
J'ai pensé qu'à son tour mon bras était trop prompt ;

---

3. Accroître, augmenter.
4. Mouvement de colère trop rapide.
5. Effectivement, en réalité.
6. Hésiter, peser le pour et le contre.
7. *Ta beauté* aurait fait pencher la *balance* de son côté, si je n'avais *opposé à tes appas* qui jusque-là étaient *les plus forts*...
8. Celle *qui m'aima* quand j'étais *généreux*

885 Je me suis accusé de trop de violence ;
Et ta beauté sans doute emportait la balance,
A moins que d'opposer à tes plus forts appas[7]
Qu'un homme sans honneur ne te méritait pas ;
Que, malgré cette part que j'avais en ton âme,
890 Qui m'aima généreux me haïrait infâme[8] ;
Qu'écouter ton amour, obéir à sa voix,
C'était m'en rendre indigne et diffamer[9] ton choix.
Je te le dis encore ; et quoique j'en soupire,
Jusqu'au dernier soupir je veux bien[10] le redire :
895 Je t'ai fait une offense, et j'ai dû m'y porter
Pour effacer ma honte, et pour te mériter ;
Mais quitte envers l'honneur, et quitte envers mon père,
C'est maintenant à toi que je viens satisfaire[11].
C'est pour t'offrir mon sang qu'en ce lieu tu me vois.
900 J'ai fait ce que j'ai dû, je fais ce que je dois.
Je sais qu'un père mort t'arme contre mon crime ;
Je ne t'ai pas voulu dérober ta victime :
Immole avec courage au sang qu'il a perdu
Celui qui met sa gloire à l'avoir répandu.

CHIMÈNE

905 Ah ! Rodrigue, il est vrai, quoique ton ennemie,
Je ne puis te blâmer d'avoir fui l'infamie ;
Et de quelque façon qu'éclatent mes douleurs,
Je ne t'accuse point, je pleure mes malheurs.
Je sais ce que l'honneur, après un tel outrage,
910 Demandait à l'ardeur d'un généreux courage[12] :
Tu n'as fait le devoir que[13] d'un homme de bien ;
Mais aussi, le faisant, tu m'as appris le mien.
Ta funeste[14] valeur m'instruit par ta victoire ;
Elle a vengé ton père et soutenu ta gloire :
915 Même soin me regarde[15], et j'ai, pour m'affliger,

---

me haïrait si je devenais *infâme.*
9. Déconsidérer.
10. Porte sur *redire :* le répéter souvent.
11. Offrir réparation.
12. Cœur noble.
13. Tu n'as fait que le devoir.
14. Qui apporte la mort.
15. Je dois en faire autant.

Ma gloire à soutenir, et mon père à venger.
Hélas ! ton intérêt[16] ici me désespère :
Si quelque autre malheur m'avait ravi mon père,
Mon âme aurait trouvé dans le bien[17] de te voir
920 L'unique allégement qu'elle eût pu recevoir[18] ;
Et contre ma douleur j'aurais senti des charmes[19],
Quand une main si chère eût essuyé mes larmes.
Mais il me faut te perdre[20] après l'avoir perdu ;
Cet effort sur ma flamme à mon honneur est dû ;
925 Et cet affreux devoir, dont l'ordre m'assassine,
Me force à travailler moi-même à ta ruine[21].
Car enfin n'attends pas de mon affection
De lâches sentiments pour ta punition.
De quoi qu'en ta faveur notre amour m'entretienne,
930 Ma générosité doit répondre à la tienne :
Tu t'es, en m'offensant, montré digne de moi ;
Je me dois, par ta mort, montrer digne de toi.

DON RODRIGUE

Ne diffère[22] donc plus ce que l'honneur t'ordonne :
Il demande ma tête, et je te l'abandonne ;
935 Fais-en un sacrifice à ce noble intérêt ;
Le coup m'en sera doux, aussi bien que l'arrêt.
Attendre après mon crime une lente justice,
C'est reculer ta gloire autant que mon supplice.
Je mourrai trop heureux, mourant d'un coup si beau.

CHIMÈNE

940 Va, je suis ta partie[23], et non pas ton bourreau.
Si tu m'offres ta tête, est-ce à moi de la prendre ?
Je la dois attaquer, mais tu dois la défendre ;

---

16. *L'intérêt*, la passion que j'ai pour toi.
17. Bonheur.
18. Ta présence aurait été mon seul réconfort.
19. Effets magiques.
20. Il me faut te faire mourir après qu'il est mort (jeu sur deux sens du verbe *perdre*).
21. Faire des efforts, me donner la peine pour t'abattre.
22. Retarde.

C'est d'un autre que toi qu'il me faut l'obtenir,
Et je dois te poursuivre, et non pas te punir.

DON RODRIGUE

945 De quoi qu'en ma faveur notre amour t'entretienne[24],
Ta générosité doit répondre à la mienne ;
Et pour venger un père emprunter d'autres bras,
Ma Chimène, crois-moi, c'est n'y répondre pas :
Ma main seule du mien a su venger l'offense,
950 Ta main seule du tien doit prendre la vengeance.

CHIMÈNE

Cruel ! à quel propos sur ce point t'obstiner ?
Tu t'es vengé sans aide, et tu m'en veux donner !
Je suivrai ton exemple, et j'ai trop de courage
Pour souffrir qu'avec toi ma gloire se partage.
955 Mon père et mon honneur ne veulent rien devoir
Aux traits de ton amour ni de ton désespoir.

DON RODRIGUE

Rigoureux point[25] d'honneur ! hélas ! quoi que je fasse,
Ne pourrai-je à la fin obtenir cette grâce ?
Au nom d'un père mort, ou de notre amitié[26],
960 Punis-moi par vengeance, ou du moins par pitié.
Ton malheureux amant aura bien moins de peine
A mourir par ta main qu'à vivre avec ta haine.

CHIMÈNE

Va, je ne te hais point.

DON RODRIGUE

Tu le dois.

CHIMÈNE

Je ne puis.

---

23. Adversaire (qui *poursuit*, et non pas *bourreau*, qui *punit*).
24. Quels que soient les sentiments que t'inspire notre amour en ma faveur.
25. Règle.
26. Amour.

DON RODRIGUE

Crains-tu si peu le blâme, et si peu les faux bruits ?
965 Quand on saura mon crime, et que ta flamme dure[27],
Que ne publieront point l'envie et l'imposture[28].
Force-les au silence, et sans plus discourir,
Sauve ta renommée en me faisant mourir.

CHIMÈNE

Elle éclate bien mieux en te laissant la vie ;
970 Et je veux que la voix de la plus noire envie
Élève au ciel ma gloire et plaigne mes ennuis[29],
Sachant que je t'adore et que je te poursuis.
Va-t'en, ne montre plus à ma douleur extrême
Ce qu'il faut que je perde, encore que je l'aime.
975 Dans l'ombre de la nuit cache bien ton départ ;
Si l'on te voit sortir, mon honneur court hasard[30].
La seule occasion qu'aura la médisance,
C'est de savoir qu'ici j'ai souffert ta présence :
Ne lui donne point lieu d'attaquer ma vertu.

DON RODRIGUE

980 Que je meure !

CHIMÈNE

Va-t'en.

DON RODRIGUE

A quoi te résous-tu ?

CHIMÈNE

Malgré des feux si beaux, qui troublent ma colère,
Je ferai mon possible à[31] bien venger mon père ;
Mais malgré la rigueur d'un si cruel devoir,
Mon unique souhait est de ne rien pouvoir.

DON RODRIGUE

985 O miracle d'amour !

---

27. Que ton amour persiste.
28. Les envieux et les calomniateurs.
29. Je veux que même les pires envieux me glorifient et me plaignent en sachant...
30. Ma réputation court des risques : il n'était pas bienséant qu'une jeune fille reçoive chez elle un homme.
31. Pour.

CHIMÈNE

O comble de misères !

DON RODRIGUE

Que de maux et de pleurs nous coûteront nos pères !

CHIMÈNE

Rodrigue, qui l'eût cru ?

DON RODRIGUE

Chimène, qui l'eût dit ?

CHIMÈNE

Que notre heur[32] fût si proche et sitôt se perdît ?

DON RODRIGUE

Et que si près du port, contre toute apparence,
990 Un orage si prompt brisât notre espérance ?

CHIMÈNE

Ah ! mortelles douleurs !

DON RODRIGUE

Ah ! regrets superflus !

CHIMÈNE

Va-t'en, encore un coup, je ne t'écoute plus.

DON RODRIGUE

Adieu : je vais traîner une mourante vie,
Tant que[33] par ta poursuite elle me soit ravie.

CHIMÈNE

995 Si j'en obtiens l'effet, je t'engage ma foi
De ne respirer pas un moment après toi.
Adieu : sors, et surtout garde bien qu'on te voie[34].

Rodrigue sort.

ELVIRE

Madame, quelques maux que le ciel nous envoie...

---

32. Bonheur.
33. Jusqu'à ce que.
34. Prends *garde qu'on* ne *te voie.*

CHIMÈNE

Ne m'importune plus, laisse-moi soupirer,
1000 Je cherche le silence et la nuit pour pleurer.

Réfléchissons ensemble

Scène 1

Pourquoi Rodrigue vient-il voir Chimène ?

Scène 2

Que demande don Sanche à Chimène ? Pour quelle raison écarte-t-elle cette demande ? Don Sanche a-t-il complètement échoué ?

Scène 3

Montrez que l'épanchement lyrique de Chimène se fait dans un mouvement assez comparable à celui des stances de Rodrigue (I, 6) : expression du désarroi, analyse lucide de la situation, décision finale de faire son devoir (mais avec l'intention de ne pas survivre à Rodrigue).

Scène 4

1. Quel est l'état d'esprit de Rodrigue quand il sort de sa cachette ? Comment réagit Chimène à cette apparition ?

2. Quel effet produit sur Chimène la vue de l'épée qui a tué son père ?

3. La tirade de Rodrigue (869-904). Présente-t-il des excuses ou des regrets à Chimène (869-878) ? Comment prouve-t-il la violence de son amour et justifie-t-il son « offense » (879-896) ? Pourquoi vient-il offrir sa vie à Chimène (897-904) ?

4. La tirade de Chimène (905-932). Admet-elle la justification de Rodrigue (905-911) ? En vous appuyant sur des citations, montrez que Chimène justifie sa conduite en cherchant à suivre l'exemple de Rodrigue (912-932). Relevez les expressions où Chimène laisse percevoir ses regrets et sa souffrance.

5. Quels arguments donne successivement Chimène pour refuser de percer Rodrigue de son épée (933-972) ?

6. La séparation (973-997). Relevez les répliques en écho qui montrent l'identité des sentiments des deux jeunes gens. Quel unique dénouement envisagent-ils ?

Scène V

Il fait tout à fait nuit maintenant. DON DIÈGUE *ne sait où est son fils : il le cherche depuis longtemps à travers la ville et se trouve présentement sur la place.*

Jamais nous ne goûtons de parfaite allégresse :
Nos plus heureux succès sont mêlés de tristesse ;
Toujours quelques soucis en ces événements
Troublent la pureté de nos contentements.
1005 Au milieu du bonheur mon âme en sent l'atteinte :
Je nage dans la joie, et je tremble de crainte.
J'ai vu mort l'ennemi qui m'avait outragé,
Et je ne saurais voir la main qui m'a vengé.
En vain je m'y travaille[1], et d'un soin inutile,
1010 Tout cassé que je suis, je cours toute la ville :
Ce peu que mes vieux ans m'ont laissé de vigueur[2]
Se consume sans fruit à chercher ce vainqueur.
A toute heure, en tous lieux, dans une nuit si sombre,
Je pense l'embrasser, et n'embrasse qu'une ombre ;
1015 Et mon amour, déçu[3] par cet objet trompeur,
Se forme des soupçons qui redoublent ma peur.
Je ne découvre point de marques de sa fuite ;
Je crains du Comte mort les amis et la suite ;
Leur nombre m'épouvante, et confond ma raison.
1020 Rodrigue ne vit plus, ou respire en prison.

Il aperçoit précisément Rodrigue qui vient à lui.

Justes cieux ! me trompé-je encore à l'apparence,
Ou si[4] je vois enfin mon unique espérance ?
C'est lui, n'en doutons plus ; mes vœux sont exaucés,
Ma crainte est dissipée, et mes ennuis cessés.

---

1. Efforce.
2. Ce peu de vigueur que m'ont laissé mes vieux ans.
3. Trompé.
4. Est-ce que.

Scène VI

RODRIGUE *entre.*

DON DIÈGUE

1025 Rodrigue, enfin le ciel permet que je te voie !

DON RODRIGUE

Hélas !

DON DIÈGUE

Ne mêle point de soupirs à ma joie ;
Laisse-moi prendre haleine afin de te louer.
Ma valeur n'a point lieu de te désavouer :
Tu l'as bien imitée, et ton illustre audace
1030 Fait bien revivre en toi les héros de ma race :
C'est d'eux que tu descends, c'est de moi que tu viens :
Ton premier coup d'épée égale tous les miens ;
Et d'une belle ardeur ta jeunesse animée
Par cette grande épreuve atteint ma renommée[1].
1035 Appui de ma vieillesse, et comble de mon heur[2],
Touche ces cheveux blancs à qui[3] tu rends l'honneur,
Viens baiser cette joue, et reconnais la place
Où fut empreint l'affront que ton courage efface.

DON RODRIGUE

L'honneur vous en est dû : je ne pouvais pas moins,
1040 Étant sorti de vous et nourri[4] par vos soins.
Je m'en tiens trop heureux, et mon âme est ravie[5]
Que mon coup d'essai plaise à qui je dois la vie ;
Mais parmi vos plaisirs ne soyez point jaloux
Si je m'ose à mon tour satisfaire[6] après vous.
1045 Souffrez qu'en liberté mon désespoir éclate ;
Assez et trop longtemps votre discours le flatte[7].
Je ne me repens point de vous avoir servi ;

---

1. *Ta jeunesse, animée d'une belle ardeur, par cette grande épreuve* te fait *atteindre* une *renommée* égale à la mienne.

2. Bonheur.
3. Auxquels.
4. Élevé.

Mais rendez-moi le bien que ce coup m'a ravi.
Mon bras, pour vous venger, armé contre ma flamme,
1050 Par ce coup glorieux m'a privé de mon âme ;
Ne me dites plus rien ; pour vous j'ai tout perdu :
Ce que je vous devais, je vous l'ai bien rendu.

DON DIÈGUE

Porte, porte plus haut le fruit de ta victoire :
Je t'ai donné la vie, et tu me rends ma gloire ;
1055 Et d'autant que l'honneur m'est plus cher que le jour,
D'autant plus maintenant je te dois de retour.
Mais d'un cœur magnanime éloigne ces faiblesses ;
Nous n'avons qu'un honneur, il est tant de maîtresses !
L'amour n'est qu'un plaisir, l'honneur est un devoir.

DON RODRIGUE

Ah ! que me dites-vous ?

DON DIÈGUE

1060 Ce que tu dois savoir.

DON RODRIGUE

Mon honneur offensé sur moi-même se venge ;
Et vous m'osez pousser à la honte du change[8] !
L'infamie est pareille, et suit également
Le guerrier sans courage et le perfide amant.
1065 A ma fidélité ne faites point d'injure ;
Souffrez-moi généreux sans me rendre parjure[9] :
Mes liens sont trop forts pour être ainsi rompus ;
Ma foi m'engage encor si je n'espère plus ;
Et ne pouvant quitter ni posséder Chimène,
1070 Le trépas que je cherche est ma plus douce peine.

DON DIÈGUE

Il n'est pas temps encor de chercher le trépas :
Ton prince et ton pays ont besoin de ton bras.

---

5. Transportée de joie.
6. *Me satisfaire :* contenter mes désirs (en exprimant ce que j'ai sur le cœur).
7. Trompe.
8. Changement (de « maîtresse »).
9. Celui qui renie son serment, sa foi jurée.

La flotte qu'on craignait, dans ce grand fleuve entrée,
Croit surprendre la ville et piller la contrée.
1075 Les Mores vont descendre, et le flux et la nuit
Dans une heure à nos murs les amène[10] sans bruit.
La cour est en désordre, et le peuple en alarmes :
On n'entend que des cris, on ne voit que des larmes.
Dans ce malheur public mon bonheur a permis
1080 Que j'ai trouvé chez moi cinq cents de mes amis,
Qui, sachant mon affront, poussés d'un même zèle,
Se venaient tous offrir à venger ma querelle.
Tu les as prévenus ; mais leurs vaillantes mains
Se tremperont bien mieux au sang des Africains.
1085 Va marcher à leur tête où l'honneur te demande :
C'est toi que veut pour chef leur généreuse bande.
De ces vieux ennemis va soutenir l'abord[11]:
Là, si tu veux mourir, trouve une belle mort ;
Prends-en l'occasion, puisqu'elle t'est offerte ;
1090 Fais devoir à ton roi son salut à ta perte[12];
Mais reviens-en plutôt les palmes sur le front.
Ne borne pas ta gloire à venger un affront ;
Porte-la plus avant : force par ta vaillance
Ce monarque au pardon, et Chimène au silence ;
1095 Si tu l'aimes, apprends que revenir vainqueur,
C'est l'unique moyen de regagner son cœur.
Mais le temps est trop cher pour le perdre en paroles ;
Je t'arrête en discours, et je veux que tu voles.
Viens, suis-moi, va combattre, et montrer à ton roi
1100 Que ce qu'il perd au Comte il le recouvre en toi.

---

10. Vont les amener.
11. L'attaque.
12. *Fais* que *ton roi doive son salut à ta* mort.

Réfléchissons ensemble

Scène 5

Jusqu'à présent, don Diègue ne nous avait guère montré qu'il était capable de s'attendrir. Comment se manifeste ici son amour pour son fils ?

Scène 6

1. Dans quel état d'esprit est Rodrigue, après avoir quitté Chimène ?
2. Don Diègue a-t-il la même conception de l'amour que Rodrigue ?
3. Quelle solution propose don Diègue à Rodrigue ?
4. La conduite de don Diègue dans cette scène est-elle tout à fait comparable à celle qu'il avait adoptée pour charger Rodrigue de sa vengeance (I,5) ?

ACTE IV

Scène première

Nous nous retrouvons, le lendemain, chez CHIMÈNE, *qui a revêtu des habits de deuil.*

ELVIRE *apporte à sa maîtresse les dernières nouvelles. Il s'est passé, pendant la nuit, d'importants événements · les Mores ont tenté de débarquer ; mais Rodrigue, à la tête des défenseurs, les a repoussés et a fait prisonniers deux rois ennemis.*

Le peuple clame partout ses louanges, et le Roi va recevoir le jeune héros, que lui amènera don Diègue.

Chimène, devant ces révélations, s'efforce de garder intacte sa colère et de faire taire son amour : ses vêtements de deuil lui rappellent son devoir.

Scène II

L'INFANTE *vient chez Chimène pour tenter de la calmer. Elle lui demande de ne plus chercher à faire périr Rodrigue : il sera assez puni si elle lui retire son amour. Mais Chimène ne se laisse pas convaincre.*

Scène III

Nous retournons au palais, où le Roi reçoit Rodrigue, en présence de DON DIÈGUE, DON ARIAS *et* DON SANCHE.

DON FERNAND *s'adresse à* RODRIGUE.

DON FERNAND

Généreux héritier d'une illustre famille,
1210 Qui fut toujours la gloire et l'appui de Castille,
Race[1] de tant d'aïeux en valeur signalés,
Que l'essai de la tienne a sitôt égalés,
Pour te récompenser ma force est trop petite ;
Et j'ai moins de pouvoir que tu n'as de mérite.
1215 Le pays délivré d'un si rude ennemi,
Mon sceptre dans ma main par la tienne affermi,
Et les Mores défaits avant qu'en ces alarmes
J'eusse pu donner ordre à repousser leurs armes,

Ne sont point des exploits[2] qui laissent à ton roi
1220 Le moyen ni l'espoir de s'acquitter vers[3] toi.
Mais deux rois tes captifs feront ta récompense.
Ils t'ont nommé tous deux leur Cid en ma présence :
Puisque Cid en leur langue est autant que seigneur,
Je ne t'envierai[4] pas ce beau titre d'honneur.
1225 Sois désormais le Cid : qu'à ce grand nom tout cède ;
Qu'il comble d'épouvante et Grenade et Tolède,
Et qu'il marque à tous ceux qui vivent sous mes lois
Et ce que tu me vaux, et ce que je te dois.

DON RODRIGUE

Que Votre Majesté, Sire, épargne ma honte.
1230 D'un si faible service elle fait trop de conte[5],
Et me force à rougir devant un si grand roi
De mériter si peu l'honneur que j'en reçoi[6].
Je sais trop que je dois au bien de votre empire,
Et le sang qui m'anime, et l'air que je respire ;
1235 Et quand je les perdrai pour un si digne objet,
Je ferai seulement le devoir d'un sujet.

DON FERNAND

Tous ceux que ce devoir à mon service engage
Ne s'en acquittent pas avec même courage ;
Et lorsque la valeur ne va point dans l'excès,
1240 Elle ne produit point de si rares[7] succès.
Souffre donc qu'on te loue, et de cette victoire
Apprends-moi plus au long la véritable histoire.

DON RODRIGUE

Sire, vous avez su qu'en ce danger pressant,
Qui jeta dans la ville un effroi si puissant,
1245 Une troupe d'amis chez mon père assemblée

---

1. Descendant.
2. Le fait que *le pays* ait été *délivré...*, le fait que *mon sceptre* ait été *affermi...*, le fait que *les Mores* aient été *défaits...*, ne sont point des exploits...
3. Envers.
4. Refuserai.
5. Compte.
6. Ancienne orthographe de *reçois*.
7. Extraordinaires.

Sollicita[8] mon âme encor toute troublée...
Mais, Sire, pardonnez à ma témérité,
Si j'osai l'[9] employer sans votre autorité :
Le péril approchait ; leur brigade[10] était prête ;
1250 Me montrant[11] à la cour, je hasardais ma tête ;
Et s'il fallait la perdre, il m'était bien plus doux
De sortir de la vie en combattant pour vous.

DON FERNAND

J'excuse ta chaleur à venger ton offense ;
Et l'État défendu[12] me parle en ta défense :
1255 Crois que dorénavant Chimène a beau parler,
Je ne l'écoute plus que pour la consoler.
Mais poursuis.

DON RODRIGUE

Sous moi donc cette troupe s'avance,
Et porte sur le front une mâle assurance.
Nous partîmes cinq cents ; mais par un prompt renfort
1260 Nous nous vîmes trois mille en arrivant au port,
Tant, à nous voir marcher avec un tel visage,
Les plus épouvantés reprenaient de courage !
J'en cache les deux tiers, aussitôt qu'arrivés,
Dans le fond des vaisseaux qui lors[13] furent trouvés ;
1265 Le reste, dont le nombre augmentait à toute heure,
Brûlant d'impatience autour de moi demeure,
Se couche contre terre, et sans faire aucun bruit,
Passe une bonne part d'une si belle nuit.
Par mon commandement la garde en fait de même,
1270 Et se tenant cachée, aide à mon stratagème ;
Et je feins hardiment d'avoir reçu de vous
L'ordre qu'on me voit suivre et que je donne à tous.
Cette obscure clarté qui tombe des étoiles
Enfin avec le flux[14] nous fait voir trente voiles ;
1275 L'onde s'enfle dessous, et d'un commun effort
Les Mores et la mer montent jusques au port.
On les laisse passer ; tout leur paraît tranquille :
Point de soldats au port, point aux murs de la ville.
Notre profond silence abusant leurs esprits,

1280 Ils n'osent plus douter de nous avoir surpris ;
Ils abordent sans peur, ils ancrent, ils descendent,
Et courent se livrer aux mains qui les attendent.
Nous nous levons alors, et tous en même temps
Poussons jusques au ciel mille cris éclatants.
1285 Les nôtres, à ces cris, de nos vaisseaux répondent ;
Ils paraissent armés, les Mores se confondent[15],
L'épouvante les prend à demi descendus ;
Avant que de combattre, ils s'estiment perdus.
Ils couraient au pillage, et rencontrent la guerre ;
1290 Nous les pressons sur l'eau, nous les pressons sur terre,
Et nous faisons courir des ruisseaux de leur sang,
Avant qu'aucun résiste ou reprenne son rang.
Mais bientôt, malgré nous, leurs princes les rallient ;
Leur courage renaît, et leurs terreurs s'oublient :
1295 La honte de mourir sans avoir combattu
Arrête leur désordre, et leur rend leur vertu.
Contre nous de pied ferme ils tirent leurs alfanges[16],
De notre sang au leur font d'horribles mélanges.
Et la terre, et le fleuve, et leur flotte, et le port,
1300 Sont des champs de carnage où triomphe la mort.
O combien d'actions, combien d'exploits célèbres
Sont demeurés sans gloire au milieu des ténèbres,
Où chacun, seul témoin des grands coups qu'il donnait,
Ne pouvait discerner où le sort inclinait[17] !
1305 J'allais de tous côtés encourager les nôtres,
Faire avancer les uns, et soutenir les autres,
Ranger ceux qui venaient, les pousser à leur tour,
Et ne l'ai pu savoir[18] jusques au point du jour.
Mais enfin sa clarté montre notre avantage :
1310 Le More voit sa perte et perd soudain courage ;

---

8. Tenta, entraîna.
9. La troupe d'amis.
10. Troupe organisée.
11. Si je me montrais.
12. Le fait que tu as *défendu l'État*.
13. Alors : les vaisseaux qui se trouvaient là.
14. La marée montante.
15. Se désorganisent.
16. Sabres, cimeterres.
17. De quel côté le sort faisait pencher la victoire.
18. Je *n'ai pu savoir* qui était vainqueur.

Et voyant[19] un renfort qui nous vient secourir,
L'ardeur de vaincre cède à la peur de mourir.
Ils gagnent leurs vaisseaux, ils en coupent les câbles,
Poussent jusques aux cieux des cris épouvantables,
1315 Font retraite en tumulte, et sans considérer
Si leurs rois avec eux peuvent se retirer.
Pour souffrir[20] ce devoir leur frayeur est trop forte :
Le flux les apporta ; le reflux[21] les remporte,
Cependant que leurs rois, engagés parmi nous,
1320 Et quelque peu des leurs, tout percés de nos coups,
Disputent vaillamment et vendent bien leur vie.
À se rendre moi-même en vain je les convie :
Le cimeterre au poing, ils ne m'écoutent pas ;
Mais voyant à leurs pieds tomber tous leurs soldats,
1325 Et que seuls désormais en vain ils se défendent,
Ils demandent le chef : je me nomme, ils se rendent.
Je vous les envoyai tous deux en même temps ;
Et le combat cessa faute de combattants.
C'est de cette façon que, pour votre service...

Scène IV

DON ALONSE *entre.*

DON ALONSE

1330 Sire, Chimène vient vous demander justice.

DON FERNAND

La fâcheuse nouvelle, et l'importun devoir !
Va, je ne la veux pas obliger à te voir.
Pour tous remerciements, il faut que je te chasse ;
Mais avant que sortir, viens, que ton roi t'embrasse.

Don Fernand embrasse Rodrigue, puis celui-ci s'en va.

---

19. Quand il voit.
20. Accepter.
21. La marée descendante.

DON DIÈGUE

1335 Chimène le poursuit, et voudrait le sauver.

DON FERNAND

On m'a dit qu'elle l'aime, et je vais l'éprouver.
Montrez un œil plus triste.

Scène V

Restent en scène DON FERNAND, DON DIÈGUE, DON SANCHE, DON ARIAS *et* DON ALONSE. CHIMÈNE *entre, accompagnée d'*ELVIRE.

DON FERNAND

Enfin, soyez contente[1],
Chimène, le succès[2] répond à votre attente :
Si de nos ennemis Rodrigue a le dessus,
1340 Il est mort à nos yeux des coups qu'il a reçus ;
Rendez grâces au ciel qui vous en a vengée.

Bas, à don Diègue, qui répondra également à voix basse.

Voyez comme déjà sa couleur est changée.

DON DIÈGUE

Mais voyez qu'elle pâme[3], et d'un amour parfait,
Dans cette pâmoison, Sire, admirez l'effet.
1345 Sa douleur a trahi les secrets de son âme,
Et ne vous permet plus de douter de sa flamme.

CHIMÈNE

Quoi ! Rodrigue est donc mort ?

DON FERNAND

Non, non, il voit le jour,
Et te conserve encore un immuable amour :
Calme cette douleur qui pour lui s'intéresse.

CHIMÈNE

1350 Sire, on pâme de joie ainsi que de tristesse :

SCÈNE V
1. Satisfaite.
2. Résultat, issue.
3. Tombe en *pâmoison*, s'évanouit.

Un excès de plaisir nous rend tous languissants[4] ;
Et quand il surprend l'âme, il accable les sens.

DON FERNAND

Tu veux qu'en ta faveur nous croyions l'impossible ?
Chimène, ta douleur a paru trop visible.

CHIMÈNE

1355 Eh bien ! Sire, ajoutez ce comble à mon malheur,
Nommez ma pâmoison l'effet de ma douleur :
Un juste déplaisir[5] à ce point m'a réduite.
Son trépas dérobait sa tête à ma poursuite ;
S'il meurt des coups reçus pour le bien du pays,
1360 Ma vengeance est perdue et mes desseins trahis :
Une si belle fin m'est trop injurieuse[6].
Je demande sa mort, mais non pas glorieuse,
Non pas dans un éclat qui l'élève si haut,
Non pas au lit d'honneur[7], mais sur un échafaud ;
1365 Qu'il meure pour mon père, et non pour la patrie ;
Que son nom soit taché, sa mémoire flétrie.
Mourir pour le pays n'est pas un triste sort ;
C'est s'immortaliser par une belle mort.
J'aime donc sa victoire, et je le puis sans crime ;
1370 Elle assure[8] l'État et me rend ma victime,
Mais noble, mais fameuse entre tous les guerriers,
Le chef[9], au lieu de fleurs[10], couronné de lauriers ;
Et pour dire en un mot ce que j'en considère,
Digne d'être immolée aux mânes[11] de mon père...
1375 Hélas ! à quel espoir me laissé-je emporter !
Rodrigue de ma part n'a rien à redouter :
Que pourraient contre lui des larmes qu'on méprise ?
Pour lui tout votre empire est un lieu de franchise[12] ;

---

4. Aujourd'hui : *tout languissants (tout* = tout à fait*)*.
5. Désespoir.
6. Me cause trop de tort, d'injustice.
7. Au champ d'honneur.
8. Affermit.
9. La tête.
10. Chez les Anciens, on couronnait de fleurs la tête de la victime qu'on allait immoler.
11. Esprit du mort.
12. Lieu d'asile, refuge.

Là, sous votre pouvoir, tout lui devient permis ;
1380 Il triomphe de moi comme des ennemis.
Dans leur sang répandu la justice étouffée
Au crime du vainqueur sert d'un nouveau trophée[13] :
Nous en croissons la pompe, et le mépris des lois
Nous fait suivre son char au milieu de deux rois[14].

DON FERNAND

1385 Ma fille, ces transports ont trop de violence.
Quand on rend la justice, on met tout en balance.
On a tué ton père, il était l'agresseur ;
Et la même équité[15] m'ordonne la douceur.
Avant que d'accuser ce que j'en fais paraître[16],
1390 Consulte bien ton cœur : Rodrigue en est le maître,
Et ta flamme en secret rend grâces à ton roi,
Dont la faveur conserve un tel amant pour toi.

CHIMÈNE

Pour moi ! mon ennemi ! l'objet de ma colère !
L'auteur de mes malheurs ! l'assassin de mon père !
1395 De ma juste poursuite on fait si peu de cas
Qu'on me croit obliger en ne m'écoutant pas !
Puisque vous refusez la justice à mes larmes.
Sire, permettez-moi de recourir aux armes ;
C'est par là seulement qu'il a su m'outrager,
1400 Et c'est aussi par là que je me dois venger.
A tous vos cavaliers[17] je demande sa tête :
Oui, qu'un d'eux me l'apporte, et je suis sa conquête ;
Qu'ils le combattent, Sire, et le combat fini,
J'épouse le vainqueur, si Rodrigue est puni.
1405 Sous votre autorité souffrez qu'on le publie.

---

13. Avoir *étouffé la justice dans le sang* des ennemis est pour le *vainqueur* un nouveau titre de gloire qui couvre son *crime*.
14. Nous-mêmes, nous augmentons l'éclat de son triomphe, au mépris des lois, en suivant son char... (Chez les Anciens, les chefs prisonniers étaient traînés derrière le char du vainqueur, lors du défilé honorifique qu'on appelait « triomphe ».)
15. La justice même.
16. *Avant* de mettre en cause *ce que je fais paraître* de douceur.
17. Gentilshommes.

DON FERNAND

Cette vieille coutume en ces lieux établie,
Sous couleur de punir un injuste attentat,
Des meilleurs combattants affaiblit un État ;
Souvent de cet abus le succès[18] déplorable
1410 Opprime l'innocent, et soutient le coupable.
J'en dispense Rodrigue : il m'est trop précieux
Pour l'exposer aux coups d'un sort capricieux ;
Et quoi qu'ait pu commettre un cœur si magnanime,
Les Mores en fuyant ont emporté son crime.

DON DIÈGUE

1415 Quoi ! Sire, pour lui seul vous renversez des lois
Qu'a vu toute la cour observer tant de fois !
Que croira votre peuple, et que dira l'envie,
Si sous votre défense il ménage sa vie,
Et s'en fait un prétexte à ne paraître pas
1420 Où tous les gens d'honneur cherchent un beau trépas ?
De pareilles faveurs terniraient trop sa gloire :
Qu'il goûte sans rougir les fruits de sa victoire.
Le Comte eut de l'audace ; il l'en a su punir :
Il l'a fait en brave homme[19], et le doit maintenir[20].

DON FERNAND

1425 Puisque vous le voulez, j'accorde qu'il le fasse ;
Mais d'un guerrier vaincu mille prendraient la place,
Et le prix que Chimène au vainqueur a promis
De tous mes cavaliers ferait ses ennemis.
L'opposer seul à tous serait trop d'injustice :
1430 Il suffit qu'une fois il entre dans la lice[21].
Choisis qui tu voudras, Chimène, et choisis bien ;
Mais après ce combat ne demande plus rien.

DON DIÈGUE

N'excusez point par là ceux que son bras étonne[22].

18. Issue, résultat.
19. *En homme brave.*
20. Doit le rester.
21. Champ clos pour les combats.
22. Frappe de stupeur, paralyse.
23. Qui aurait assez de courage chimérique pour oser s'attaquer à lui ?
24. D'une hardiesse irraisonnée.

Laissez un champ ouvert où n'entrera personne.
1435 Après ce que Rodrigue a fait voir aujourd'hui,
Quel courage assez vain s'oserait prendre à lui[23] ?
Qui se hasarderait contre un tel adversaire ?
Qui serait ce vaillant, ou bien ce téméraire[24] ?

DON SANCHE

Faites ouvrir le champ : vous voyez l'assaillant ;
1440 Je suis ce téméraire, ou plutôt ce vaillant.

A Chimène.

Accordez cette grâce à l'ardeur qui me presse,
Madame : vous savez quelle est votre promesse.

DON FERNAND

Chimène, remets-tu ta querelle[25] en sa main ?

CHIMÈNE

Sire, je l'ai promis.

DON FERNAND

Soyez prêt à demain.

DON DIÈGUE

1445 Non, Sire, il ne faut pas différer davantage :
On est toujours trop prêt[26] quand on a du courage.

DON FERNAND

Sortir d'une bataille, et combattre à l'instant !

DON DIÈGUE

Rodrigue a pris haleine en vous la racontant.

DON FERNAND

Du moins une heure ou deux je veux qu'il se délasse.
1450 Mais de peur qu'en exemple un tel combat ne passe,
Pour témoigner à tous qu'à regret je permets
Un sanglant procédé qui ne me plut jamais,
De moi ni de ma cour il n'aura la présence.

---

25. Cause, affaire.

26. Tout *prêt.*

A don Arias.

Vous seul des combattants jugerez la vaillance :
1455 Ayez soin que tous deux fassent en gens de cœur,
Et, le combat fini, m'amenez le vainqueur.
Qui qu'il soit[27], même prix est acquis à sa peine :
Je le veux de ma main présenter à Chimène,
Et que pour récompense il reçoive sa foi[28].

CHIMÈNE

1460 Quoi ! Sire, m'imposer une si dure loi !

DON FERNAND

Tu t'en plains ; mais ton feu, loin d'avouer[29] ta plainte,
Si Rodrigue est vainqueur, l'accepte sans contrainte.
Cesse de murmurer contre un arrêt si doux :
Qui que ce soit des deux, j'en ferai ton époux.

Réfléchissons ensemble

Scène 3

1. Dans la première partie (1209-1257), montrez que Rodrigue est consacré héros par le Roi, mais qu'il tient à affirmer sa soumission au pouvoir royal. Quelle est désormais l'attitude du Roi devant la requête de Chimène ?

2. Dans le récit de la bataille (1257-1328), quelle tactique expose Rodrigue ? L'effet de surprise a-t-il été total ? La bataille a-t-elle été dure ou la victoire facile ? Qu'est-ce qui a causé la déroute des Mores ?

Scène 5

1. Êtes-vous choqués par la petite comédie que joue don Fernand à Chimène ? Comment la justifieriez-vous, le cas échéant ?

2. Comment Chimène se trahit-elle, et comment essaie-t-elle de se ressaisir ?

3. Comment don Fernand accueille-t-il la demande de Chimène de recourir au duel judiciaire ?

---

27. Quel *qu'il soit.*
28. Son engagement (de l'épouser).
29. Approuver.

4. Qui plaide pour que le Roi accepte la demande de Chimène ? Pour quelle raison ?

5. Quelle décision prend finalement don Fernand ?

6. A votre avis, Chimène accepte-t-elle avec empressement l'offre de don Sanche de se battre contre Rodrigue ?

Le récit dramatique (débat)

Le procédé du « récit », caractéristique du théâtre classique, a parfois été contesté.

Certains prétendent que ce qu'on voit frappe plus que ce qu'on entend raconter. Un cinéaste n'aurait pas manqué de nous montrer la bataille contre les Mores : ce serait même sans doute la plus belle séquence du film.

On pourrait objecter des impossibilités pratiques : un tel déploiement de personnages sur une scène, les difficultés de la décoration, etc. En fait l'objection n'est guère valable : dès l'époque de Corneille, les pièces « à grand spectacle » connaissaient le succès.

C'est pourquoi les défenseurs du théâtre classique donnent une justification plus intéressante : selon eux, l'imagination du spectateur est plus efficace que son œil et que l'habileté des techniciens de la scène : aucun metteur en scène, aucun cinéaste, ne nous fera voir l'« obscure clarté qui tombe des étoiles » aussi bien que le fait Corneille par la magie du verbe. Et si le cinéaste fait appel à l'œil, c'est qu'il ne peut pas faire autrement, parce qu'il obéit à une esthétique différente.

Le débat reste ouvert, et vous pouvez en discuter...

Le récit épique (essai écrit)

Vous connaissez de grandes épopées : *l'Iliade, l'Odyssée, l'Énéide, la Chanson de Roland, les Martyrs, la Légende des siècles,* etc.

L'Espagne a le *Poème du Cid* (1140). Rien d'étonnant donc à ce que le récit de la bataille contre les Mores ait un ton *épique.*

Voici la définition de *l'épopée* donnée par le dictionnaire Robert : « Long poème où le merveilleux se mêle au vrai, la légende à l'histoire et dont le but est de célébrer un héros ou un grand fait. »

Étudiez terme par terme cette définition en l'appliquant au récit de Rodrigue.

ACTE V

Scène première

Un peu plus tard, nous nous retrouvons chez CHIMÈNE. *Arrive* RODRIGUE.

CHIMÈNE

1465 Quoi ! Rodrigue, en plein jour ! d'où te vient cette [audace ?
Va, tu me perds d'honneur[1] ; retire-toi, de grâce.

DON RODRIGUE

Je vais mourir, Madame, et vous viens en ce lieu,
Avant le coup mortel, dire un dernier adieu :
Cet immuable[2] amour qui sous vos lois m'engage
1470 N'ose accepter ma mort sans vous en faire hommage.

CHIMÈNE

Tu vas mourir !

DON RODRIGUE

Je cours à ces heureux moments
Qui vont livrer ma vie à vos ressentiments.

CHIMÈNE

Tu vas mourir ! Don Sanche est-il si redoutable
Qu'il donne l'épouvante à ce cœur indomptable ?
1475 Qui t'a rendu si faible, ou qui le rend si fort ?
Rodrigue va combattre, et se croit déjà mort !
Celui qui n'a pas craint les Mores, ni mon père,
Va combattre don Sanche, et déjà désespère !
Ainsi donc au besoin[3] ton courage s'abat !

DON RODRIGUE

1480 Je cours à mon supplice, et non pas au combat ;
Et ma fidèle ardeur[4] sait bien m'ôter l'envie,
Quand vous cherchez ma mort, de défendre ma vie.

---

1. Tu me déshonores.
2. Inébranlable.
3. Quand tu en as besoin.
4. Passion.

J'ai toujours même cœur ; mais je n'ai point de bras
Quand il faut conserver ce qui ne vous plaît pas ;
1485 Et déjà cette nuit m'aurait été mortelle
Si j'eusse combattu pour ma seule querelle[5] ;
Mais défendant mon roi, son peuple et mon pays,
A me défendre mal[6] je les aurais trahis.
Mon esprit généreux ne hait pas tant la vie
1490 Qu'il en veuille sortir par une perfidie[7].
Maintenant qu'il s'agit de mon seul intérêt,
Vous demandez ma mort, j'en accepte l'arrêt.
Votre ressentiment choisit la main d'un autre
(Je ne méritais pas de mourir de la vôtre) :
1495 On ne me verra point en repousser les coups ;
Je dois plus de respect à qui combat pour vous ;
Et ravi de penser que c'est de vous qu'ils viennent,
Puisque c'est votre honneur que ses armes soutiennent,
Adorant en sa main la vôtre qui me perd,
1500 Je vais lui présenter mon estomac ouvert[8].

CHIMÈNE

Si d'un triste devoir la juste violence,
Qui me fait malgré moi poursuivre ta vaillance,
Prescrit à ton amour une si forte loi
Qu'il te rend sans défense à qui combat pour moi,
1505 En cet aveuglement ne perds pas la mémoire
Qu'ainsi que de ta vie il y va de ta gloire,
Et que, dans quelque éclat que Rodrigue ait vécu,
Quand on le saura mort, on le croira vaincu.
Ton honneur t'est plus cher que je ne te suis chère,
1510 Puisqu'il trempe tes mains dans le sang de mon père,
Et te fait renoncer, malgré ta passion,
A l'espoir le plus doux de ma possession :
Je t'en vois cependant faire si peu de conte,
Que sans rendre combat[9] tu veux qu'on te surmonte.

---

5. Cause.
6. Si je m'étais *mal défendu*.
7. En trahissant mon roi, son peuple et mon pays.
8. J'exposerai ma poitrine sans la protéger.
9. Lutter, rendre les coups.

1515 Quelle inégalité ravale ta vertu[10] ?
Pourquoi ne l'as-tu plus, ou pourquoi l'avais-tu ?
Quoi ? n'es-tu généreux[11] que pour me faire outrage ?
S'il ne faut m'offenser, n'as-tu point de courage ?
Et traites-tu mon père avec tant de rigueur,
1520 Qu'après l'avoir vaincu, tu souffres un vainqueur ?
Va, sans vouloir mourir, laisse-moi te poursuivre,
Et défends ton honneur, si tu ne veux plus vivre.

DON RODRIGUE

Après la mort du Comte, et les Mores défaits[12],
Faudrait-il à ma gloire encor d'autres effets[13] ?
1525 Elle peut dédaigner le soin de me défendre :
On sait que mon courage ose tout entreprendre,
Que ma valeur peut tout, et que dessous les cieux,
Auprès de[14] mon honneur, rien ne m'est précieux.
Non, non, en ce combat, quoi que vous veuilliez croire,
1530 Rodrigue peut mourir sans hasarder[15] sa gloire,
Sans qu'on l'ose accuser d'avoir manqué de cœur,
Sans passer pour vaincu, sans souffrir un vainqueur.
On dira seulement : « Il adorait Chimène ;
Il n'a pas voulu vivre et mériter sa haine ;
1535 Il a cédé lui-même à la rigueur du sort
Qui forçait sa maîtresse à poursuivre sa mort[16].
Elle voulait sa tête, et son cœur magnanime,
S'il l'en eût refusée[17], eût pensé faire un crime.
Pour venger son honneur il perdit son amour,
1540 Pour venger sa maîtresse il a quitté le jour[18],
Préférant, quelque espoir qu'eût son âme asservie[19],
Son honneur à Chimène, et Chimène à sa vie. »
Ainsi donc vous verrez ma mort, en ce combat,
Loin d'obscurcir ma gloire, en rehausser l'éclat ;

---

10. Quelle instabilité, quel accès de faiblesse rabaisse ton énergie ?
11. N'as-tu des sentiments nobles...
12. La défaite des Mores.
13. Manifestations, actions.
14. En comparaison de.
15. Mettre en danger, risquer.

1545 Et cet honneur suivra mon trépas volontaire,
Que[20] tout autre que moi n'eût pu vous satisfaire.

CHIMÈNE

Puisque, pour t'empêcher de courir au trépas,
Ta vie et ton honneur sont de faibles appas,
Si jamais je t'aimai, cher Rodrigue, en revanche,
1550 Défends-moi maintenant pour m'ôter à don Sanche ;
Combats pour m'affranchir d'une condition
Qui me donne à l'objet de mon aversion.
Te dirai-je encor plus ? va, songe à ta défense,
Pour forcer[21] mon devoir, pour m'imposer silence ;
1555 Et si tu sens pour moi ton cœur encore épris,
Sors vainqueur d'un combat dont Chimène est le prix.
Adieu : ce mot lâché[22] me fait rougir de honte.

Chimène sort. Rodrigue reste seul.

DON RODRIGUE

Est-il quelque ennemi qu'à présent je ne dompte ?
Paraissez, Navarrais, Mores et Castillans,
1560 Et tout ce que l'Espagne a nourri de vaillants ;
Unissez-vous ensemble, et faites une armée,
Pour combattre une main de la sorte animée :
Joignez tous vos efforts contre un espoir si doux ;
Pour en venir à bout, c'est trop peu que de vous.

Il part affronter don Sanche.

---

16. A le poursuivre pour le faire mourir.
17. S'il la lui eût refusée.
18. La vie.
19. Malgré *l'espoir* (de bonheur) que lui donnait la passion qui le rendait esclave (de Chimène).
20. A savoir *que* : explique *cet honneur.*
21. Triompher de.
22. Maintenant que je l'ai laissé échapper.

Réfléchissons ensemble

Cette seconde entrevue de Rodrigue et de Chimène peut être comparée à la première (III, 4). Il y a cependant d'importantes différences.

1. Quel est l'état d'esprit de Chimène au début de la scène ? Et celui de Rodrigue ?

2. Par quel argument Chimène essaie-t-elle de persuader Rodrigue de ne pas se laisser tuer sans se défendre ? Que répond Rodrigue à cet argument ?

3. Quel est le second argument de Chimène, qui convainc Rodrigue ? Cet argument n'est-il pas une capitulation ?

Une ambiguïté (débat)

Dans les grandes pièces de théâtre, les personnages ne sont pas simples, mais au contraire complexes, comme dans la vie ; et leur comportement peut être *ambigu,* c'est-à-dire qu'on peut l'analyser de différentes façons.

Cette ambiguïté fait précisément leur richesse et permet aux acteurs, selon le parti qu'ils adoptent, de présenter une interprétation personnelle.

Précisément, la première scène de l'acte V présente un exemple typique d'ambiguïté : Rodrigue est-il sincère ? a-t-il réellement l'intention de se laisser tuer sans se défendre ?

Plusieurs interprétations ont été données :

1. Oui, Rodrigue est de bonne foi : il connaît un moment de découragement, l'obstination de Chimène le déconcerte et, faisant passer son honneur avant son amour (comme le lui reproche Chimène au vers 1509), il est disposé à mourir alors qu'il est au faîte de la gloire.

2. Non, Rodrigue joue littéralement la comédie. (Rien d'étonnant : le Roi s'est bien permis, lui aussi, de jouer la comédie à Chimène à la scène 5 de l'acte IV.) Il veut amener Chimène à lui avouer son amour plus nettement qu'elle ne l'a fait au vers 963.

3. Rodrigue se livre à une parade nuptiale : le sacrifice de sa vie qu'il propose à Chimène est la plus éclatante preuve d'amour qu'il puisse lui donner ; l'éloge qu'il fait ensuite de lui-même, en des termes qui n'ont rien de modeste, rappelle à Chimène ce qu'elle risque de perdre.

Vous pourrez débattre librement de ces interprétations, et peut-être en suggérer d'autres.

Scène II

Retournons chez L'INFANTE, *qui a appris la décision de Chimène d'accorder sa main au vainqueur du combat.*

Elle est seule et exprime dans des stances les sentiments qui la partagent.

Sa passion pour Rodrigue dure encore, et la gloire qu'il vient de conquérir le rend digne d'elle ; mais l'amour de Chimène pour Rodrigue, que même la mort de son père n'a pu éteindre, interdit à l'Infante d'espérer encore.

Scène III

Arrive LÉONOR, *qui aide l'Infante à prendre sa résolution définitive : ne doutant pas de la victoire de Rodrigue, elle le donnera une seconde fois à Chimène.*

Elles sortent pour se rendre chez Chimène.

Scène IV

Revenons chez CHIMÈNE, *qui s'entretient avec sa gouvernante* ELVIRE.

CHIMÈNE

1645 Elvire, que je souffre, et que je suis à plaindre !
Je ne sais qu'espérer, et je vois tout à craindre ;
Aucun vœu ne m'échappe où j'ose consentir[1] ;
Je ne souhaite rien sans un prompt repentir.
A deux rivaux pour moi je fais prendre les armes :
1650 Le plus heureux succès me coûtera des larmes ;
Et quoi qu'en ma faveur en ordonne le sort,
Mon père est sans vengeance, ou mon amant est mort.

---

1. Je ne laisse *échapper aucun vœu* que je puisse accepter.

ELVIRE

D'un et d'autre côté je vous vois soulagée :
Ou vous avez Rodrigue, ou vous êtes vengée ;
1655 Et, quoi que le destin puisse ordonner de vous,
Il soutient votre gloire, et vous donne un époux.

CHIMÈNE

Quoi ! l'objet de ma haine ou de tant de colère !
L'assassin de Rodrigue ou celui de mon père !
De tous les deux côtés on me donne un mari
1660 Encor tout teint du sang que j'ai le plus chéri ;
De tous les deux côtés mon âme se rebelle :
Je crains plus que la mort la fin de ma querelle.
Allez, vengeance, amour, qui troublez mes esprits[2],
Vous n'avez point pour moi de douceurs à ce prix ;
1665 Et toi, puissant moteur[3] du destin qui m'outrage,
Termine ce combat sans aucun avantage,
Sans faire aucun des deux ni vaincu ni vainqueur.

ELVIRE

Ce serait vous traiter avec trop de rigueur.
Ce combat pour votre âme est un nouveau supplice,
1670 S'il vous laisse obligée à demander justice,
A témoigner toujours ce haut[4] ressentiment,
Et poursuivre toujours la mort de votre amant.
Madame, il vaut bien mieux que sa rare[5] vaillance,
Lui couronnant le front[6], vous impose silence ;
1675 Que la loi du combat étouffe vos soupirs,
Et que le Roi vous force à suivre vos désirs.

CHIMÈNE

Quand il sera vainqueur, crois-tu que je me rende ?
Mon devoir est trop fort, et ma perte trop grande,
Et ce n'est pas assez, pour leur faire la loi,
1680 Que celle du combat et le vouloir du Roi.

---

2. Ma raison.
3. Dieu (qui *meut* l'univers).
4. Profond.
5. Exceptionnelle.
6. En le faisant vainqueur (image des lauriers dont on couronnait le front des vainqueurs, chez les Anciens).

Il peut vaincre don Sanche avec fort peu de peine,
Mais non pas avec lui la gloire de Chimène ;
Et quoi qu'à sa victoire un monarque ait promis,
Mon honneur lui fera mille autres ennemis.

ELVIRE

1685 Gardez[7], pour vous punir de cet orgueil étrange[8],
Que le ciel à la fin ne souffre qu'on vous venge.
Quoi ! vous voulez encor refuser le bonheur
De pouvoir maintenant vous taire avec honneur ?
Que prétend ce devoir, et qu'est-ce qu'il espère ?
1690 La mort de votre amant vous rendra-t-elle un père ?
Est-ce trop peu pour vous que d'un[9] coup de malheur ?
Faut-il perte sur perte, et douleur sur douleur ?
Allez, dans le caprice où votre humeur s'obstine,
Vous ne méritez pas l'amant qu'on vous destine ;
1695 Et nous verrons du ciel l'équitable courroux
Vous laisser, par sa mort, don Sanche pour époux.

CHIMÈNE

Elvire, c'est assez des peines que j'endure,
Ne les redouble point de ce funeste augure[10].
Je veux, si je le puis, les éviter tous deux ;
1700 Sinon en ce combat Rodrigue a tous mes vœux :
Non qu'une folle ardeur de son côté me penche[11] ;
Mais s'il était vaincu, je serais à don Sanche :
Cette appréhension fait naître mon souhait.

Elle aperçoit DON SANCHE *qui revient, l'épée à la main.*

Que vois-je, malheureuse ? Elvire, c'en est fait.

---

7. Prenez garde.
8. Excessif.
9. Qu'un seul.
10. Cette sinistre prédiction.
11. *Me* fasse *pencher*.

Scène V

DON SANCHE

1705 Obligé d'apporter à vos pieds cette épée...

CHIMÈNE

Quoi ! du sang de Rodrigue encor toute trempée ?
Perfide, oses-tu bien te montrer à mes yeux,
Après m'avoir ôté ce que j'aimais le mieux ?
Éclate, mon amour, tu n'as plus rien à craindre :
1710 Mon père est satisfait, cesse de te contraindre.
Un même coup a mis ma gloire en sûreté,
Mon âme au désespoir, ma flamme en liberté.

DON SANCHE

D'un esprit plus rassis[1]...

CHIMÈNE

Tu me parles encore,
Exécrable assassin d'un héros que j'adore ?
1715 Va, tu l'as pris en traître ; un guerrier si vaillant
N'eût jamais succombé sous un tel assaillant.
N'espère rien de moi, tu ne m'as point servie :
En croyant me venger, tu m'as ôté la vie.

DON SANCHE

Etrange impression, qui, loin de m'écouter...

CHIMÈNE

1720 Veux-tu que de sa mort je t'écoute vanter[2],
Que j'entende à loisir avec quelle insolence
Tu peindras son malheur, mon crime et ta vaillance ?

---

1. Calmé.
2. Te *vanter.*

Scène VI

Arrive le Roi DON FERNAND, *accompagné de* DON DIÈGUE, *de* DON ARIAS *et de* DON ALONSE.

CHIMÈNE

Sire, il n'est plus besoin de vous dissimuler
Ce que tous mes efforts ne vous ont pu celer[1].
1725 J'aimais, vous l'avez su ; mais pour venger mon père,
J'ai bien voulu proscrire[2] une tête si chère :
Votre Majesté, Sire, elle-même a pu voir
Comme[3] j'ai fait céder mon amour au devoir.
Enfin Rodrigue est mort, et sa mort m'a changée
1730 D'implacable ennemie en amante affligée.
J'ai dû cette vengeance à qui m'a mise au jour,
Et je dois maintenant ces pleurs à mon amour.
Don Sanche m'a perdue en prenant ma défense,
Et du bras qui me perd je suis la récompense !
1735 Sire, si la pitié peut émouvoir un roi,
De grâce, révoquez une si dure loi[4] ;
Pour prix d'une victoire où je perds ce que j'aime,
Je lui laisse mon bien ; qu'il me laisse à moi-même ;
Qu'en un cloître sacré je pleure incessamment[5],
1740 Jusqu'au dernier soupir, mon père et mon amant.

DON DIÈGUE

Enfin elle aime, Sire, et ne croit plus un crime
D'avouer par sa bouche un amour légitime.

DON FERNAND

Chimène, sors d'erreur, ton amant n'est pas mort,
Et don Sanche vaincu t'a fait un faux rapport.

---

1. Cacher.
2. Mettre à prix, donner une récompense à qui m'apporterait la tête de Rodrigue.
3. Comment.
4. Revenez sur votre décision.
5. Sans cesse.

DON SANCHE

1745 Sire, un peu trop d'ardeur malgré moi l'a déçue[6] :
Je venais du combat lui raconter l'issue.
Ce généreux guerrier, dont son cœur est charmé :
« Ne crains rien, m'a-t-il dit, quand il m'a désarmé ;
Je laisserais plutôt la victoire incertaine,
1750 Que de répandre un sang hasardé[7] pour Chimène ;
Mais puisque mon devoir m'appelle auprès du Roi,
Va de notre combat l'[8]entretenir pour moi,
De la part du vainqueur lui porter ton épée. »
Sire, j'y suis venu : cet objet l'a trompée ;
1755 Elle m'a cru vainqueur, me voyant de retour,
Et soudain sa colère a trahi son amour
Avec tant de transport et tant d'impatience,
Que je n'ai pu gagner un moment d'audience[9].
Pour moi, bien que vaincu, je me répute[10] heureux ;
1760 Et malgré l'intérêt de mon cœur amoureux,
Perdant[11] infiniment, j'aime encor ma défaite,
Qui fait le beau succès d'une amour[12] si parfaite.

DON FERNAND

Ma fille, il ne faut point rougir d'un si beau feu,
Ni chercher les moyens d'en faire un désaveu[13].
1765 Une louable honte en vain t'en sollicite :
Ta gloire est dégagée, et ton devoir est quitte ;
Ton père est satisfait, et c'était le venger
Que mettre tant de fois ton Rodrigue en danger.
Tu vois comme le ciel autrement en dispose.
1770 Ayant tant fait pour lui, fais pour toi quelque chose,
Et ne sois point rebelle à mon commandement,
Qui te donne un époux aimé si chèrement.

---

6. Trompée.
7. Risqué, exposé.
8. Chimène.
9. D'attention ; je n'ai pu me faire écouter.
10. Considère comme.
11. Bien que je *perde*.
12. Pouvait être du féminin, même au singulier.
13. De refuser de l'*avouer*.

Scène VII

Entre L'INFANTE, *avec* RODRIGUE, *qui se jette aux pieds de Chimène.*

L'INFANTE

Sèche tes pleurs, Chimène, et reçois sans tristesse
Ce généreux vainqueur des mains de ta princesse

DON RODRIGUE

1775 Ne vous offensez point, Sire, si devant vous
Un respect amoureux me jette à ses genoux.
Je ne viens point ici demander ma conquête :
Je viens tout de nouveau vous apporter ma tête,
Madame ; mon amour n'emploiera point pour moi
1780 Ni la loi du combat, ni le vouloir du Roi.
Si tout ce qui s'est fait est trop peu pour un père,
Dites par quels moyens il vous faut satisfaire.
Faut-il combattre encor mille et mille rivaux,
Aux deux bouts de la terre étendre mes travaux,
1785 Forcer moi seul un camp, mettre en fuite une armée,
Des héros fabuleux[1] passer[2] la renommée ?
Si mon crime par là se peut enfin laver,
J'ose tout entreprendre, et puis tout achever ;
Mais si ce fier honneur, toujours inexorable,
1790 Ne se peut apaiser sans la mort du coupable,
N'armez plus contre moi le pouvoir des humains :
Ma tête est à vos pieds, vengez-vous par vos mains ;
Vos mains seules ont droit de vaincre un invincible ;
Prenez une vengeance à tout autre impossible.
1795 Mais du moins que ma mort suffise à me punir :
Ne me bannissez point de votre souvenir ;
Et puisque mon trépas conserve votre gloire,
Pour vous en revancher[3] conservez ma mémoire,

SCÈNE VII.
1. De la *fable,* de la mythologie.
2. Dépasser.
3. Pour prendre votre revanche.

Et dites quelquefois, en déplorant mon sort :
1800 « S'il ne m'avait aimée, il ne serait pas mort. »

CHIMÈNE

Relève-toi, Rodrigue. Il faut l'avouer, Sire,
Je vous en ai trop dit pour m'en pouvoir dédire.
Rodrigue a des vertus que je ne puis haïr.
Et quand un roi commande, on lui doit obéir.
1805 Mais à quoi que déjà vous m'ayez condamnée,
Pourrez-vous à vos yeux souffrir cet hyménée[4] ?
Et quand de mon devoir vous voulez cet effort,
Toute votre justice en est-elle d'accord ?
Si Rodrigue à l'État devient si nécessaire,
1810 De ce qu'il fait pour vous dois-je être le salaire,
Et me livrer moi-même au reproche éternel
D'avoir trempé mes mains dans le sang paternel[5] ?

DON FERNAND

Le temps assez souvent a rendu légitime
Ce qui semblait d'abord ne se pouvoir sans crime :
1815 Rodrigue t'a gagnée, et tu dois être à lui.
Mais quoique sa valeur t'ait conquise aujourd'hui,
Il faudrait que je fusse ennemi de ta gloire,
Pour lui donner sitôt[6] le prix de sa victoire.
Cet hymen différé ne rompt point une loi
1820 Qui sans marquer de temps lui destine ta foi.
Prends un an, si tu veux, pour essuyer tes larmes.
Rodrigue, cependant[7], il faut prendre les armes.
Après avoir vaincu les Mores sur nos bords,
Renversé leurs desseins, repoussé leurs efforts,
1825 Va jusqu'en leur pays leur reporter la guerre,
Commander mon armée, et ravager leur terre :
A ce nom seul de Cid ils trembleront d'effroi ;
Ils t'ont nommé seigneur, et te voudront pour roi.

---

4. Mariage.
5. En épousant le meurtrier de mon père, ce qui me rendrait son complice.
6. Aussitôt, tout de suite.
7. *Pendant ce* temps-là.
8. Désigne Chimène.
9. Estimer.
10. Bonheur.
11. Puisque tu *possèdes*...

Mais parmi tes hauts faits sois-lui[8] toujours fidèle :
1830 Reviens-en, s'il se peut, encor plus digne d'elle ;
Et par tes grands exploits fais-toi si bien priser[9],
Qu'il lui soit glorieux alors de t'épouser.

DON RODRIGUE

Pour posséder Chimène, et pour votre service,
Que peut-on m'ordonner que mon bras n'accomplisse ?
1835 Quoi qu'absent de ses yeux il me faille endurer,
Sire, ce m'est trop d'heur[10] de pouvoir espérer.

DON FERNAND

Espère en ton courage, espère en ma promesse,
Et possédant[11] déjà le cœur de ta maîtresse,
Pour vaincre un point d'honneur qui combat contre toi,
1840 Laisse faire le temps, ta vaillance et ton roi.

Réfléchissons ensemble

Scène 4

1. Comment expliquez-vous l'outrance des propos de Chimène ? Par l'exaltation où elle se trouve présentement ? Par la répugnance qu'elle éprouve envers don Sanche ? Par son caractère et l'éducation reçue ? Par une volonté d'égaler Rodrigue en héroïsme ?

2. Quelle est l'utilité dramatique du « funeste augure » d'Elvire (1685-1696) ?

Scène 5

Comment Chimène manifeste-t-elle la libération de ses sentiments ?

Scène 6

1. Que demande Chimène au Roi ?

2. En quoi la conduite de don Sanche rappelle-t-elle celle de l'Infante ?

Scène 7

1. En quoi la tirade de Rodrigue (1775-1800) est-elle un acte de soumission absolue à Chimène ?

2. Comment réagit Chimène devant cette attitude ?

3. A quelle décision s'arrête don Fernand, et comment la justifie-t-il ?

To. II. pag. 135
LE CID

LA STRUCTURE DU « CID »

Pour bien comprendre comment est composée une tragédie, le mieux serait de refaire le travail accompli par l'auteur : à partir de l'histoire racontée dans l'ordre chronologique :

1. Découpage du récit en élaguant tous les éléments accessoires et en sélectionnant les plus intéressants, les « scènes à faire ».

2. Groupement en séries d'une durée acceptable pour les spectateurs.

Nous ne pouvons évidemment pas nous mettre à la place de Corneille composant *le Cid,* mais il nous est possible de faire le trajet en sens inverse, c'est-à-dire, à partir du texte de la tragédie, de reconstituer le récit qui aurait pu en être le point de départ (puisqu'en fait c'est d'une pièce de théâtre qu'est parti Corneille) ; en d'autres termes, retrouver la suite des événements comme elle serait présentée dans un roman ou un film.

Nous obtiendrons ainsi un tableau en deux colonnes, indiquant :
- d'une part, les *événements* présentés *sur la scène,*
- d'autre part, ceux qui se passent *dans la coulisse* ou *pendant les entractes,* et que l'on peut imaginer à partir des paroles prononcées par les personnages en scène.

De plus, nous pourrons de la même façon déterminer, au moins approximativement, la *durée* des événements censés se passer pendant les entractes.

(Nous étudierons à part, pour des raisons pratiques, le problème des *lieux*.)

Voici le tableau que nous obtiendrons : il n'est pas véritablement un résumé de la pièce, mais seulement une indication sommaire de la série des événements.

Événements présentés sur la scène	Événements extérieurs
I. *Vers midi*	
1-2. Chimène puis l'Infante exposent la situation.	Le Roi tient conseil.
3. Le Comte gifle don Diègue.	Rodrigue vient au-devant de son père.
4-6. Don Diègue charge Rodrigue de le venger.	
Entracte	Le Roi apprend la nouvelle et charge don Arias d'admonester le Comte.
II. *Au milieu de l'après-midi*	
1. Le Comte refuse une réparation.	Rodrigue vient au-devant du Comte.
2. Rodrigue défie le Comte.	Don Arias va rendre compte au Roi du refus du Comte.
3-4. Chimène et l'Infante apprennent que Rodrigue a provoqué le Comte.	Le Comte et Rodrigue se battent en duel. Rodrigue tue le Comte.
5. L'Infante exprime ses sentiments.	Chimène se rend sur les lieux du combat.
6. Don Arias rend compte au Roi de l'obstination du Comte.	Don Alonse, Chimène et don Diègue viennent chez le Roi.
7. Don Alonse annonce la mort du Comte.	
8. Don Diègue et Chimène viennent demander justice au Roi.	
Entracte	Rodrigue se cache ; don Diègue le cherche sans succès.
III. *A la nuit tombante*	
1. Rodrigue se présente chez Chimène absente ; à son arrivée, il se cache.	Don Sanche raccompagne Chimène chez elle.

2-3. Chimène congédie don Sanche, puis se livre à son désespoir.	
4. Rodrigue se montre : duo.	Don Diègue cherche toujours son fils.
5-6. Don Diègue finit par rencontrer Rodrigue ; il l'envoie repousser une attaque imprévue des Mores.	
Entracte	Bataille contre les Mores.
IV. *Le lendemain matin*	
1-2. Chimène apprend la victoire de Rodrigue. L'Infante vient la conseiller.	Rodrigue va chez le Roi.
3. Rodrigue est reçu par le Roi et raconte la bataille.	Chimène se rend chez le Roi.
4-5. Le Roi congédie Rodrigue pour recevoir Chimène. Il consent à un duel entre don Sanche et Rodrigue.	
Entracte	Préparatifs de la rencontre.
V. *Une ou deux heures plus tard, en fin de matinée*	
1. Rodrigue, avant de se battre, revient chez Chimène.	
2-3. L'Infante décide de donner Rodrigue à Chimène.	Rodrigue va se battre contre don Sanche.
4. Chimène exprime son angoisse.	Il le désarme, mais lui laisse la vie sauve.
5. Don Sanche entre : Chimène éclate en invectives contre lui.	Don Sanche vient chez Chimène lui apporter son épée.
6. Arrivée du Roi, avec tous les courtisans.	Don Arias, arbitre du combat, informe le Roi, qui vient chez Chimène.
7. Arrivée de l'Infante, amenant Rodrigue.	L'Infante va chercher Rodrigue.

L'action

Une des règles du théâtre classique est l'« unité d'action » : cela signifie que tout ce qui est présenté – et même ce qui ne l'est pas – doit converger vers un même intérêt.

1. Ce tableau nous permet d'emblée de voir que l'auteur dramatique ne montre pas tout ce que l'on pourrait estimer intéressant.

Quels sont, selon vous, les *événements extérieurs* qui auraient mérité d'être présentés sur la scène ? Mais, dans ce cas, certains coups de théâtre n'auraient-ils pas été supprimés ? Estimez-vous que cela aurait été regrettable ?

2. Dans la colonne des *événements présentés sur la scène,* il n'y a pas que des « événements » au plein sens du mot.

Quelles sont les scènes où il ne se passe réellement rien, et où les personnages se bornent à exprimer leurs sentiments et leurs réactions devant les événements ? Pourrait-on supprimer ces scènes ? Quel avantage ou quel inconvénient y verriez-vous ?

Le temps

Les classiques estimaient que la durée de la suite des événements présentés sur la scène ne devrait pas dépasser celle de la représentation.

Cet idéal a été réalisé quelquefois, notamment par Racine, qui réduisait l'action à la toute dernière phase d'une crise qui était censée avoir débuté bien longtemps auparavant.

En fait, c'était le plus souvent impossible, et l'on a alors admis, pour préserver le principe d'une durée resserrée, un temps maximum d'un jour, c'est-à-dire de vingt-quatre heures. C'est ce qu'on a appelé l'« unité de temps ».

1. Comment Corneille, dans *le Cid,* observe-t-il l'unité de temps ?

L'unité de temps était imposée au nom de la « vraisemblance ». Trouvez-vous vraisemblable que Rodrigue puisse faire tant de choses en si peu de temps ?

2. Nous avons indiqué dans le tableau la durée approximative du temps censé s'écouler pendant les entractes. Recherchez dans le texte les indications qui ont permis de déterminer ces durées. (Pour vous aider, voici les vers où vous trouverez des notations de temps : 630, 632, 975, 1000, 1013, 1076, 1302, 1308, 1318, 1449, 1465, 1821.)

3. En vous aidant du tableau, ne trouvez-vous pas certaines durées un peu longues pour les événements qui s'y passent, et d'autres au contraire où les événements sont un peu précipités ?

A votre avis, est-ce que ce sont des défauts que l'on peut reprocher à Corneille, ou estimez-vous que cela fait partie des nombreuses conventions, fort bien admises au théâtre ? Aviez-vous remarqué ces discordances en lisant la tragédie ?

Le lieu

Les mêmes raisons de vraisemblance qui imposaient, selon les théoriciens classiques, l'unité de temps, les amenaient à exiger l'« unité de lieu ».

Puisque, disaient-ils, le spectateur a bien conscience de ne pas changer de place, il faut que le décor de la scène lui présente toujours le même lieu.

Cette raison nous paraît aujourd'hui dépassée, parce que le cinéma, art essentiellement dynamique, nous a habitués au contraire au plaisir de nous promener dans les paysages et les décors les plus variés. Il n'en reste pas moins que certains films, centrés sur l'analyse de conflits passionnels, adoptent l'unité de lieu et des décors presque invisibles.

1. Pouvez-vous citer des films que vous avez vus, dont l'action se passe dans un lieu unique, ou dont les décors étaient si sobres qu'ils ne vous ont laissé presque aucun souvenir ?

2. Corneille tourne la difficulté en distinguant le « lieu général » et des « lieux particuliers ».

Le « lieu général » est Séville.

Les « lieux particuliers » (c'est Corneille qui nous l'apprend dans son *Examen du Cid,* 1660) sont : le palais du Roi, l'appartement de l'Infante, la maison de Chimène, une rue ou place publique.

Estimez-vous que, tout compte fait, Corneille a respecté la règle de l'unité de lieu ?

3. Du temps de Corneille, on utilisait un « décor simultané » : la scène se divisait en plusieurs compartiments selon une disposition de ce genre :

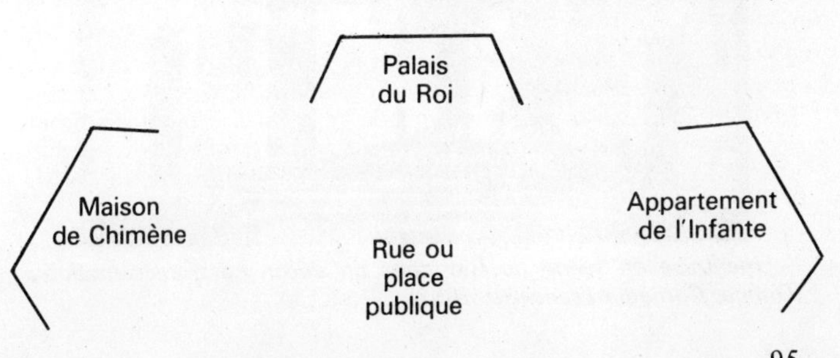

Une mise en scène du Cid *dans un décor « à transformation » (Donga, Comédie-Française, 1953).*

Que pensez-vous de ce procédé ? Préféreriez-vous un changement de décor à chaque « tableau » (succession de scènes se déroulant dans le même lieu) ? Comptez combien *le Cid* comporterait de tableaux. Ce morcellement du spectacle gênerait-il ou non, à votre avis, le spectateur ?

Si vous deviez mettre en scène *le Cid,* comment concevriez-vous les décors ?

Faites un schéma, ou un dessin, ou construisez une maquette.

La couleur historique et locale

Le Cid de l'histoire avait des mœurs plus barbares que celles que Corneille prête à Rodrigue : ce dernier ressemble davantage à un gentilhomme du temps de Louis XIII qu'au farouche guerrier médiéval. En fait, Corneille, pour que sa pièce soit comprise et appréciée par son public, a adouci, quand cela lui paraissait nécessaire, les rudesses de ses modèles espagnols. C'était d'ailleurs l'usage à l'époque, et cet usage persista, malgré de timides tentatives, jusqu'à la fin du XVIIIe siècle.

Mais les poètes nés au début du XIXe siècle, et qui formèrent l'école « romantique », voulurent rompre avec cet usage, et, par souci de la vérité dans l'art, imposèrent ce qu'on a appelé la « couleur historique et locale ».

Vous comprendrez en quoi elle consiste, grâce à cet extrait d'un poème de Leconte de Lisle (1818-1894).

Allant plus loin que les poètes romantiques ses aînés, il « exige que le créateur se transporte tout entier à l'époque choisie et y revive exclusivement ». Alors que l'art classique peignait l'antiquité sous des couleurs modernes, Leconte de Lisle cherche au contraire à ressusciter les temps passés dans leur authenticité. Joignant à cette prise de position un culte extrême de la beauté formelle, il fut le fondateur de l'école « parnassienne ».

LA TÊTE DU COMTE

Les chandeliers de fer flambent jusqu'au plafond
Où, massive, reluit la poutre transversale.
On entend crépiter la résine qui fond.

Hormis cela, nul bruit. Toute la gent vassale,
5 Écuyers, échansons, pages, Maures lippus,
Se tient debout et raide autour de la grand'salle.

Entre les escabeaux et les coffres trapus
Pendent au mur, dépouille aux Sarrasins ravie,
Cottes, pavois, cimiers que les coups ont rompus.

10 Don Diego, sur la table abondamment servie,
Songe, accoudé, muet, le front contre le poing,
Pleurant sa flétrissure et l'honneur de sa vie. [...]

Ô jour, jour détestable où l'honneur s'envola !
Ô vertu des aïeux par cet affront souillée !
15 Ô face que la honte avec deux mains voila !

Don Diego rêve ainsi, prolongeant la veillée,
Sans ouïr, dans sa peine enseveli, crier
De l'huis aux deux battants la charnière rouillée.

Don Rui Diaz entre. Il tient de son poing meurtrier
20 Par les cheveux la tête à prunelle hagarde
Et la pose en un plat devant le vieux guerrier.

Le sang coule, et la nappe en est rouge. – Regarde !
Hausse la face, père ! Ouvre les yeux et vois !
Je ramène l'honneur sous ton toit que Dieu garde.

25 Père ! j'ai relustré ton nom et ton pavois,
Coupé la mâle langue et bien fauché l'ivraie. –
Le vieux dresse son front pâle et reste sans voix.

Puis il crie : – O mon Rui, dis si la chose est vraie !
Cache la tête sous la nappe, ô mon enfant !
30 Elle me change en pierre avec ses yeux d'orfraie.

Couvre ! car mon vieux cœur se romprait, étouffant
De joie, et ne pourrait, ô fils, te rendre grâce,
A toi, vengeur d'un droit que ton bras sûr défend.

A mon haut bout sieds-toi, cher astre de ma race !
35 Par cette tête, sois tête et cœur de céans,
Aussi bien que je t'aime et t'honore et t'embrasse.

Vierge et Saints ! mieux que l'eau de tous les océans
Ce sang noir a lavé ma vieille joue en flamme.
Plus de jeûnes, d'ennuis, ni de pleurs malséants !

40 C'est bien lui ! Je le hais, certes, à me damner l'âme !
Rui dit : – L'honneur est sauf, et sauve la maison,
Et j'ai crié ton nom en enfonçant ma lame.

Mange, père ! – Diego murmure une oraison ;
Et tous deux, s'asseyant côte à côte à la table,
45 Graves et satisfaits, mangent la venaison,

En regardant saigner la Tête lamentable.

Leconte de Lisle, *Poèmes barbares* (1862).

Relevez les éléments qui constituent la couleur historique et locale :
- dans les noms des personnages ;
- dans la description du décor (strophes 1 à 3) ;
- dans la peinture des mœurs (de la strophe 7 à la fin).

Une parodie

Le Cid est certainement l'œuvre qui a été le plus souvent parodiée : c'est la preuve de son caractère exceptionnel : on parodie ce qu'on se refuse à admirer.

Dans le sonnet que voici, du poète humoriste Georges Fourest (1864-1945), vous pourrez relever :
- l'excès de couleur locale (notamment dans le vocabulaire) ;
- l'incompréhension totale (mais évidemment volontaire !) que manifeste le dernier vers (ce qu'on appelle la « chute »).

LE CID

Le palais de Gormaz, comte et gobernador,
est en deuil : pour jamais dort couché sous la pierre
l'hidalgo dont le sang a rougi la rapière
de Rodrigue appelé le Cid Campeador.

5 Le soir tombe. Invoquant les deux saints Paul et Pierre,
Chimène, en voiles noirs, s'accoude au mirador
et ses yeux dont les pleurs ont brûlé la paupière
regardent, sans rien voir, mourir le soleil d'or...

Mais un éclair, soudain, fulgure en sa prunelle :
10 sur la plaza Rodrigue est debout devant elle !
Impassible et hautain, drapé dans sa capa,

le héros meurtrier à pas lents se promène :
« Dieu ! » soupire à part soi la plaintive Chimène,
« qu'il est joli garçon l'assassin de Papa ! »

Georges Fourest, *La Négresse blonde* (1909), José Corti.

Journal imaginaire

La Gazette de Séville sort une édition spéciale, le matin qui suit l'attaque des Mores (ce qui correspond au début de l'acte IV).

La « une » du journal est bien sûr consacrée au récit de l'invasion repoussée, avec un gros titre.

Dans les pages intérieures, on évoque les circonstances de la mort du Comte de Gormas, avec une biographie.

Le chroniqueur politique donne son opinion personnelle sur cette disparition du Comte et sur l'intervention du jeune don Rodrigue. Peut-être critique-t-il l'imprévoyance du roi.

Dans le « courrier du cœur », on révèle des indiscrétions sur les amours de Chimène et de Rodrigue, et l'on examine le problème posé par leur situation.

Le « courrier des lecteurs » publie une lettre prenant la défense de la pratique du duel, suivie des observations du journal.

Vous trouverez certainement d'autres idées...

Vous vous répartirez la rédaction de chaque article, en soignant le choix des titres.

Interviews imaginaires

Chacun incarnera le personnage qu'il aura choisi.

L'équipe des journalistes préparera les questions : qu'elles soient nettes, clairement formulées, et bien adaptées à la compétence de la personne interrogée.

On pourra, si on veut, répartir ces interviews au fil de la pièce : par exemple, après chaque acte.

Le Cid *au Théâtre de la Ville en 1972. Remarquer la couleur locale de pure fantaisie. Pas de décors, mais de nombreux figurants, constituant en quelque sorte un décor humain.*

Le style

Voici des vers, extraits du *Cid :* ils sont souvent cités, soit comme maximes, soit de façon plaisante ou parodique :

Pour grands que soient les rois, ils sont ce que nous sommes :
Ils peuvent se tromper comme les autres hommes. (157-158)

Les exemples vivants sont d'un autre pouvoir. (191)

Rodrigue, as-tu du cœur ? (261)

Viens, mon fils, viens, mon sang... (266)

Va, cours, vole, et nous venge. (290)

A moi, Comte, deux mots. (397)

A quatre pas d'ici je te le fais savoir. (403)

Je suis jeune, il est vrai ; mais aux âmes bien nées
La valeur n'attend point le nombre des années. (405-406)

Mes pareils à deux fois ne se font point connaître,
Et pour leurs coups d'essai veulent des coups de maître. (409-410)

A qui venge son père il n'est rien impossible. (417)

A vaincre sans péril on triomphe sans gloire. (434)

Son sang sur la poussière écrivait mon devoir. (676)

Quand le bras a failli, l'on en punit la tête. (722)

Je le ferais encor, si j'avais à le faire. (878)

Qui m'aima généreux me haïrait infâme. (890)

Va, je ne te hais point. (963)

Rodrigue, qui l'eût cru ? – Chimène, qui l'eût dit ? (987)

L'amour n'est qu'un plaisir, l'honneur est un devoir. (1059)

Cette obscure clarté qui tombe des étoiles... (1273)

Et le combat cessa faute de combattants. (1328)

Mourir pour le pays n'est pas un triste sort ;
C'est s'immortaliser par une belle mort. (1367-1368)

Laisse faire le temps, ta vaillance et ton roi. (1840)

Expliquez ces vers en les situant dans leur contexte.
Quel est le procédé de style qui donne à la plupart des sentences leur vigueur ?
D'autres vers vous ont-ils frappés par leur beauté ? Lesquels ?

Débat : le « sens » du « Cid »

Quand on pose la question du « sens » d'une œuvre artistique, on ne veut pas laisser entendre que son auteur ne savait pas très exactement ce qu'il faisait ; on veut dire ceci : un artiste peint la vie telle qu'elle est ; or la vie elle-même est complexe, et on peut *l'interpréter* de diverses façons.

Cette interprétation sera influencée par *l'époque :* certaines valeurs de la société du XVIIe siècle ont disparu, d'autres leur ont succédé : ainsi le duel est aujourd'hui une pratique désuète ; la préciosité du langage fait le plus souvent sourire nos contemporains.

Mais de plus chacun de nous a ses opinions et ses goûts personnels, et toute appréciation est *subjective :* tel sera exalté surtout, à la lecture du *Cid,* par les exploits héroïques ; tel autre sera surtout sensible à la peinture des sentiments.

C'est ainsi que chaque époque, et dans son époque chaque individu, prêtera au *Cid* un « sens » personnel (tous les sens étant légitimes... à condition qu'ils ne soient pas des contresens !).

Nous vous invitons donc à débattre ensemble du sens que vous donnez au *Cid :* la confrontation des interprétations personnelles est toujours enrichissante.

Pour lancer la discussion, voici des questions précises :

1. *Le Cid* nous montre à la fois :
- une action exaltante : l'ascension d'un héros ;
- une peinture touchante : l'amour plus fort que tout ;
- un problème politique : les rapports du héros avec le pouvoir.

Auquel de ces trois aspects avez-vous été le plus sensible ?

2. Rodrigue vous apparaît-il comme un modèle à imiter ? A-t-il raison, selon vous, de se battre contre son futur beau-père ? Y aurait-il, à votre avis, une autre solution ?

3. La tragédie présente des héros placés par le destin dans une situation dont ils ne peuvent sortir. Montrez que telle est bien la situation de Rodrigue, quand son père le charge de venger son honneur. S'il accepte, il risque d'être tué. S'il se dérobe, pourquoi Chimène refusera-t-elle de l'épouser ?

4. Estimez-vous que Chimène a raison de vouloir venger son père (qui, en tout état de cause, était l'offenseur) ?

5. A votre avis, l'acharnement que met Chimène à vouloir faire périr Rodrigue risque-t-il de briser leur amour, ou au contraire de grandir encore la passion de Rodrigue ?

6. Comment jugez-vous la conduite du roi don Fernand ? Qu'auriez-vous fait à sa place ?

7. Quelles leçons tirez-vous, pour votre part, de la lecture du *Cid* ?

Don Quichotte et Sancho Pança.

DEUXIÈME PARTIE

VRAIS ET FAUX HÉROS

Héros est un mot grec. A l'origine, il désignait les demi-dieux, fils d'un dieu et d'une mortelle ou d'un mortel et d'une déesse, comme Héraklès-Hercule, Achille, Énée.

Cependant, dès l'antiquité, on donna le titre de héros à de simples mortels particulièrement chéris des dieux : personnages légendaires comme Ulysse, ou personnages historiques comme le poète Homère, le médecin Hippocrate, les philosophes Socrate, Platon, Aristote ou Épicure.

Au fil des temps, la notion de héros a tendu à ne plus s'appliquer qu'aux guerriers exceptionnels, doués de courage et d'audace, capables d'actions d'éclat, avec un esprit de sacrifice total : on voit que Rodrigue incarne parfaitement cette conception.

Le héros semble nécessaire au peuple : il lui propose un modèle idéal auquel il peut s'identifier, et en même temps il le rassure. Les temps troublés sont propices à l'éclosion des héros : dans *La Guerre de Troie n'aura pas lieu,* un écrivain moderne, Jean Giraudoux, fait dire à Hécube : « L'homme en temps de guerre s'appelle le héros. Il peut ne pas en être plus brave, et fuir à toutes jambes. Mais c'est du moins un héros qui détale. »

Le héros qui détale est évidemment un faux héros ; on voit que la notion même de héros guerrier est contestée, et depuis longtemps : au soldat, on oppose volontiers le savant, estimé plus utile à l'humanité.

Vous pourrez, à l'aide des textes que nous vous proposons, essayer de cerner cette notion de héros, et de définir la place que tient à notre époque le héros, vrai ou faux, célèbre ou obscur, admirable ou ridicule.

TITE-LIVE

MUCIUS SCÉVOLA

Tite-Live, né en 59 av. J.-C. et mort en 17 après J.-C., composa une monumentale *Histoire romaine* depuis les origines jusqu'à son époque, par laquelle il cherchait à ranimer chez ses concitoyens les anciennes vertus romaines qui commençaient à défaillir. C'est pourquoi il ne manque pas d'exalter les légendaires héros nationaux. Tel Mucius Scévola.

Nous sommes en 508 av. J.-C. ; Rome, à l'origine une petite bourgade fondée en 753, est en train d'étendre sa domination sur les royaumes voisins et vient d'instaurer la république. Le roi étrusque Porsenna fait le siège de la ville.

Le blocus continuait toujours, la disette avait porté les vivres à un prix très élevé, et, de son camp, Porsenna se flattait de forcer Rome à lui ouvrir ses portes. C. Mucius, jeune patricien[1], indigné que le peuple romain, qui, pendant son esclavage sous
5 les rois, n'avait jamais vu d'ennemis l'assiéger dans ses murs, fût, maintenant qu'il était libre, assiégé par ces mêmes Étrusques[2], dont il avait tant de fois mis les armées en déroute, crut qu'il fallait venger cet affront par quelque action d'audace et d'éclat. Son premier mouvement fut de pénétrer dans le camp
10 ennemi ; mais craignant, s'il partait sans l'autorisation des consuls[3], sans avoir confié son dessein à personne, d'être arrêté par les sentinelles romaines, et ramené comme transfuge[4], soupçon auquel la fortune[5] actuelle de Rome pouvait donner de la vraisemblance, il se rendit au sénat[6] : « Sénateurs, dit-il, j'ai
15 l'intention de passer le Tibre[7] et d'entrer dans le camp ennemi : ce n'est ni le désir du butin, ni l'ardeur de venger le ravage de

---

1. Noble.
2. L'Étrurie correspond à peu près à la Toscane actuelle. La civilisation étrusque était brillante et gênait l'expansion romaine.
3. La république vient d'être instaurée et les pouvoirs du roi ont été partagés entre deux *consuls* élus chaque année.
4. Déserteur.
5. Mauvaise fortune, malchance.
6. Assemblée des notables.
7. Fleuve qui arrose Rome.

nos campagnes qui m'y conduisent. J'ai, si les dieux me secondent, un but plus noble. »

Muni de l'approbation du sénat, il cache une épée sous ses 20 vêtements et part. Arrivé au camp, il se mêle à la foule nombreuse qui se pressait autour du tribunal de Porsenna. C'était le moment où les soldats venaient recevoir leur paye ; et le secrétaire du prince, assis à côté de lui, revêtu d'un costume à peu près semblable, paraissait fort occupé. C'était à lui que 25 s'adressaient le plus souvent les soldats. Mucius, craignant de se trahir par son ignorance, s'il demandait lequel était Porsenna, s'abandonne à la fortune[8], et frappe le secrétaire au lieu du prince. Avec son arme sanglante, il s'ouvrait un passage à travers la foule épouvantée, et allait s'échapper, quand les 30 gardes, accourus au bruit, l'arrêtent, le saisissent, et le traînent devant le tribunal du roi.

Là, seul en face d'une destinée si menaçante, loin d'éprouver la moindre terreur, il en inspire encore : « Je suis citoyen romain, dit-il ; mon nom est C. Mucius : ennemi, j'ai voulu tuer 35 un ennemi. Je sais recevoir comme donner la mort : le courage et la constance[9] sont les vertus des Romains. Je ne suis pas le seul qu'animent contre toi ces sentiments. Derrière moi, une jeunesse nombreuse aspire au même honneur. Apprête-toi donc, si cette vie a pour toi des charmes, à combattre chaque 40 jour pour ta tête : tu trouveras le fer[10] et l'ennemi jusque dans ta tente : c'est la guerre que te déclare la jeunesse romaine. Ne redoute point d'action générale, point de bataille : l'affaire est de toi à chacun de nous. »

Le roi, transporté de colère, effrayé du péril, veut, dans sa 45 fureur, qu'on entoure de feux ce téméraire, s'il ne se hâte d'expliquer le piège de ses menaces ambiguës. « Vois, reprend Mucius, combien le corps est peu de chose à l'homme qu'enflamme l'aspect de la gloire. » A ces mots il pose sa main sur le brasier allumé pour le sacrifice[11], et la laisse brûler 50 comme s'il eût été insensible à la douleur. Épouvanté de ce prodige de constance, Porsenna s'élance de son siège, et ordonne d'éloigner de l'autel ce jeune héros. « Retire-toi, lui dit-il, toi, qui te traites plus en ennemi que je n'aurais fait moi-même. J'applaudirais à ton courage, si tu le montrais en faveur 55 de ma patrie ; du moins je te rends la liberté, je t'affranchis de tout ce que les lois de la guerre me donnent le droit de te faire souffrir. Alors Mucius, comme pour récompenser tant de générosité : « Puisque tu sais honorer le courage, lui dit-il, la

reconnaissance fera ce que n'ont pu tes menaces. Nous sommes
60 trois cents jeunes gens, des premières familles de Rome, qui avons juré de t'attaquer ainsi. Le sort m'a désigné le premier. Les autres, à mesure que viendra leur tour, se présenteront, jusqu'à ce que la fortune te livre à leur vengeance. »

Mucius, à qui la blessure qui le privait de la main droite fit
65 donner depuis le nom de Scévola[12], partit, suivi bientôt des députés[13] de Porsenna. Ce premier danger, auquel l'avait dérobé seulement la méprise de son ennemi, ce combat qu'il fallait recommencer autant de fois qu'il restait de conjurés[14], avaient fait sur l'esprit de ce prince une impression si profonde, qu'il
70 proposa la paix aux Romains.

Tite-Live, *Histoire romaine*, II, 12-13. Traduction de G. Lamothe, Éd. Hatier.

Réfléchissons ensemble

1. Comment Mucius tourne-t-il son échec en victoire ?

2. Comment, n'ayant pas pu tuer Porsenna, cherche-t-il à lui faire peur ? N'est-ce pas déjà de la « guerre psychologique » ?

3. Quelle est la conduite de Porsenna ? Comment l'appréciez-vous ?

Recherche

L'héroïsme guerrier est la plupart du temps une affaire d'hommes, semble-t-il. Cependant Tite-Live raconte l'histoire de la jeune Clélie. Recherchez cette histoire.

Renseignez-vous sur les héroïnes historiques ou légendaires comme Antigone, sainte Geneviève, Jeanne d'Arc, Jeanne Hachette. En connaissez-vous d'autres ?

---

8. Tente la chance.
9. Fermeté, obstination.
10. Une épée.
11. Dans les *sacrifices*, offerts aux dieux pour attirer leurs faveurs, on brûlait sur l'autel les victimes qu'on avait égorgées.
12. On lui donna le surnom de *Scévola* (en latin « le gaucher »).
13. Envoyés.
14. Soldats qui ont *juré* ensemble de tuer Porsenna.

RABELAIS

UNE RUSE DE PANURGE

Le XVIe siècle, siècle de la Renaissance, est une transition entre le Moyen âge et le début des temps modernes. On se rend compte que bien des valeurs sont en train de changer.

Pantagruel (1532) est le premier livre d'une sorte d'épopée burlesque écrite par Rabelais (1494 ?-1553), dont le héros est un géant qui porte ce nom.

Une lecture superficielle donne l'impression que Rabelais n'a cherché qu'à amuser le lecteur, et souvent avec des procédés très gros. Mais sous le comique énorme on découvre des idées très sérieuses.

Le Moyen âge vient de s'achever, et les anciennes valeurs sont remplacées par de nouvelles, que répandent les *Humanistes*. Nourris de culture antique, ils remettent en question ce qu'on considérait comme des dogmes, soit en politique, soit en religion ; ils placent au centre de leurs préoccupations l'épanouissement de l'homme (d'où le nom qu'on leur a donné).

Pantagruel et ses compagnons sont à Honfleur et attendent les vents favorables pour s'embarquer.

Ils aperçurent six cent-soixante cavaliers, chevauchant à l'aise sur des chevaux légers, qui accouraient voir ce qu'était ce navire nouvellement accosté ; ils venaient à bride abattue pour tâcher de les capturer.

5 Alors Pantagruel dit :

« Mes enfants, mettez-vous à l'abri dans le navire. Voici des ennemis qui accourent, mais je les tuerai ici comme des bêtes, fussent-ils dix fois plus nombreux. Mettez-vous à l'abri pendant ce temps-là : vous allez vous amuser. »

10 Mais Panurge répondit :

« Non, Seigneur, il n'est pas raisonnable que vous fassiez cela : mettez-vous au contraire à l'abri dans le navire, vous et les autres : moi tout seul je les taillerai en pièces. Mais il faudra faire vite. Venez, vous. »

15 A quoi les autres ajoutèrent :
« Il a bien dit, Seigneur, mettez-vous à l'abri et nous aiderons Panurge : vous allez voir ce que nous savons faire. »
Alors Pantagruel dit :
« Je veux bien ; mais au cas où vous auriez le dessous, je ne
20 vous abandonnerai pas. »
Alors Panurge tira deux grandes cordes du navire, les attacha au cabestan[1] qui était sur le tillac[2], les posa à terre en formant deux grands cercles, l'un plus large, l'autre à l'intérieur du premier. Puis il dit à Épistémon :
25 « Montez sur le navire, et quand je vous ferai signe, tournez vite le cabestan sur le tillac, pour ramener à vous ces deux cordes. »
Puis il dit à Eusthène et à Carpalin : « Mes enfants, restez ici, présentez-vous franchement aux ennemis, obéissez-leur et faites
30 semblant de vous rendre. Mais veillez à ne pas entrer dans le cercle de ces cordes : restez toujours en dehors. »
Et aussitôt il monta sur le navire, prit une botte de paille et un baril de poudre à canon, les répandit dans le cercle des cordes, et se plaça non loin, une grenade à la main.
35 Soudain les cavaliers arrivèrent à toute allure ; les premiers se bousculèrent jusqu'auprès du navire et, comme le rivage était glissant, ils tombèrent, eux et leurs chevaux, au nombre de quarante-quatre. Ce que voyant, les autres s'approchèrent, pensant qu'ils s'étaient heurtés à une résistance. Mais Panurge
40 leur dit :
« Messieurs, je crois que vous vous êtes fait mal ; pardonnez-nous : ce n'est pas notre faute, mais celle de l'eau de mer, qui est toujours visqueuse. Nous nous rendons à votre bon plaisir. »
Ses deux compagnons dirent la même chose, ainsi qu'Épis-
45 témon, qui était sur le tillac.
Cependant Panurge s'écartait. Les cavaliers étaient tous dans le cercle des cordes et ses deux compagnons s'en étaient éloignés, laissant la place à tous ces cavaliers, qui se pressaient pour aller voir le navire et ce qu'il contenait. Voyant cela,
50 Panurge cria soudain à Épistémon :
« Tire ! tire ! »
Alors Épistémon commença à tourner le cabestan : les deux

1. Treuil vertical, servant à tirer sur un câble.
2. Pont du navire.

cordes se prirent dans les jambes des chevaux et les faisaient tomber avec ceux qui étaient dessus. Mais eux, voyant cela, 55 tirèrent l'épée pour couper les cordes. Alors Panurge mit le feu à la traînée et les fit tous brûler là, comme des damnés.

Rabelais, *Pantagruel*, 25. (Adaptation en français moderne.)

Réfléchissons ensemble

1. En quoi l'attitude de Pantagruel, au début de cette page, est-elle héroïque ? Est-ce une attitude « raisonnable » ?

2. Le stratagème inventé par Panurge n'empêche-t-il pas Pantagruel de se conduire en héros ? Panurge ne se substitue-t-il pas à Pantagruel ? et du même coup ne démontre-t-il pas la supériorité de l'intelligence sur la vaillance ?

3. Considérez-vous Panurge comme un héros ?

Débat

Au temps de Rabelais, le canon était utilisé depuis déjà longtemps, l'arquebuse est apparue au cours du XVe siècle, et le mousquet a commencé à la remplacer vers 1525.

Quelle conséquence a eue l'emploi des armes à feu sur la conception du courage individuel ?

Qui gagne aujourd'hui les guerres ? La nation qui a les soldats les plus courageux, ou celle qui dispose des armes les plus perfectionnées ? Le courage, ou l'intelligence ? Y a-t-il encore, selon vous, des héros guerriers ?

CERVANTÈS

DON QUICHOTTE DE LA MANCHE

Don Quichotte est un des personnages (faut-il dire « héros » ?) les plus populaires de la littérature universelle. Cela peut sembler étonnant, puisque l'Espagnol Miguel de Cervantès Saavedra (1547-1616), en publiant en 1605 *Don Quichotte de la Manche,* avait l'intention de ridiculiser les héros de romans traditionnels.

Son héros est un fou : la lecture des romans de chevalerie lui a tourné la tête au point d'altérer sa perception de la réalité. Inadapté au monde qui l'entoure, il vit ses rêves. Aperçoit-il de modestes moulins à vent ? Il y voit des géants qu'il doit abattre...

Ils découvrirent trente ou quarante moulins à vent qu'il y a en cette plaine, et, dès que don Quichotte les vit, il dit à son écuyer : « La fortune conduit nos affaires mieux que nous n'eussions su désirer, car voilà, ami Sancho Pança, où se
5 découvrent trente ou quelque peu plus de démesurés géants, avec lesquels je pense avoir combat et leur ôter la vie à tous, et de leurs dépouilles nous commencerons à nous enrichir : car c'est ici une bonne guerre, et c'est faire grand service à Dieu d'ôter une si mauvaise semence de dessus la face de la terre.
10 - Quels géants ? dit Sancho. - Ceux que tu vois là, répondit son maître, aux longs bras, et d'aucuns les ont quelquefois de deux lieues. - Regardez, monsieur, répondit Sancho, que ceux qui paraissent là ne sont pas des géants, mais des moulins à vent et ce qui semble des bras sont les ailes, lesquelles, tournées par
15 le vent, font mouvoir la pierre du moulin. - Il paraît bien, répondit don Quichotte, que tu n'es pas fort versé en ce qui est des aventures : ce sont des géants, et, si tu as peur, ôte-toi de là et te mets en oraison[1], tandis que je vais entrer avec eux en une furieuse et inégale bataille. » Et, disant cela, il donna des
20 éperons à son cheval Rossinante, sans s'amuser aux cris que son écuyer Sancho faisait, l'avertissant que sans aucun doute c'étaient des moulins à vent, et non pas des géants, qu'il allait attaquer. Mais il était tellement aheurté à cela que[2] c'étaient des

---

1. Mets-toi en prière.

2. Il était si entêté sur cette idée que...

géants qu'il n'entendit pas les cris de son écuyer Sancho, ni ne
25 s'apercevait pas de ce que c'était, encore qu'il en fût bien près ; au contraire, il disait à haute voix : « Ne fuyez pas, couardes et viles[3] créatures, car c'est un seul chevalier qui vous attaque. » Sur cela il se leva un peu de vent, et les grandes ailes de ces moulins commencèrent à se mouvoir ; ce que voyant don
30 Quichotte, il dit : « Vous pourriez mouvoir plus de bras que ceux du géant Briarée[4] : vous allez me le payer. » Et, disant cela, il se recommanda de tout son cœur à sa dame Dulcinée, lui demandant qu'elle le secourût en ce danger ; puis, bien couvert de sa rondache[5], et la lance en l'arrêt, il accourut, au grand
35 galop de Rossinante, donner dans le premier moulin qui était devant lui, et lui porta un coup de lance en l'aile : le vent la fit tourner avec une telle violence qu'elle mit la lance en pièces, emmenant après soi le cheval et le chevalier, qui s'en furent rouler un bon espace parmi la plaine.

40 Sancho Pança accourut à toute course de son âne pour le secourir, et, quand il fut à lui, il trouva qu'il ne se pouvait remuer : tel avait été le coup que lui et Rossinante avaient reçu.

Cervantès, *Don Quichotte*, 1,8.
Traduction de César Oudin et François Rosset,
revue par Jean Cassou, Éd. Gallimard.

Réfléchissons ensemble

1. Relevez les détails qui montrent que don Quichotte a encore, au début du XVIIe siècle, l'idéal d'un chevalier médiéval :
- que représentent pour lui les géants ?
- pourquoi les attaque-t-il ?
- quelle place tient Dulcinée, sa « dame » ?

2. En quoi le caractère et la conduite de Sancho Pança s'opposent-ils à ceux de son maître ?

3. Comment Cervantès rend-il don Quichotte ridicule ?

4. Personnellement, le trouvez-vous si ridicule ? Ne lui reconnaissez-vous pas certaines qualités ? Lesquelles ?

Expression écrite

Bien sincèrement, vous sentez-vous plus proche de don Quichotte ou de Sancho Pança ? Lequel préféreriez-vous être ?

---

3. Peureuses et vulgaires.
4. Géant de la mythologie grecque : il avait cinquante têtes et cent bras.
5. Bouclier *rond*.

LABICHE

LE HÉROS DE LA MER DE GLACE

Les bourgeois du XIXe siècle étaient la cible favorite des artistes, qui ne manquaient pas une occasion de ridiculiser leur prétention et leur sottise.

Eugène Labiche (1815-1888) nous a laissé à travers ses nombreuses comédies (écrites le plus souvent en collaboration) une caricature féroce, sous sa fantaisie, du bourgeois de son époque. L'une des plus célèbres est celle de Perrichon dans la pièce intitulée *Le Voyage de Monsieur Perrichon,* créée en 1860.

M. Perrichon, carrossier enrichi, a décidé d'emmener sa femme et sa fille Henriette à Chamonix. Mais deux jeunes gens, Armand et Daniel, épris de la jeune fille, les ont suivis et essaient tous deux de gagner l'estime et l'amitié de M. Perrichon, pour que celui-ci leur accorde la main d'Henriette.

Armand sauve la vie de Perrichon qui, ayant voulu monter à cheval, a été désarçonné et a failli rouler dans un précipice. Perrichon conçoit une vive amitié pour son sauveur ; mais très vite il supporte mal sa dette de reconnaissance envers Armand.

Alors Daniel va essayer de supplanter son rival en imaginant un stratagème : accompagnant M. Perrichon sur la mer de Glace, il fait semblant de se laisser glisser dans un précipice, donnant ainsi à Perrichon l'occasion de lui sauver la vie : il espère ainsi gagner l'affection du carrossier en lui permettant d'accéder à l'héroïsme.

Daniel entre, soutenu par l'aubergiste et par le guide.

PERRICHON, *très ému* - Vite ! de l'eau ! du sel ! du vinaigre ! *(Il fait asseoir Daniel.)*

TOUS - Qu'y a-t-il ?

5 PERRICHON - Un événement affreux ! *(S'interrompant).* Faites-le boire, frottez-lui les tempes !

DANIEL - Merci... Je me sens mieux.

ARMAND - Qu'est-il arrivé ?...

DANIEL - Sans le courage de monsieur Perrichon...

10 PERRICHON, *vivement* - Non, pas vous ! ne parlez pas !... *(Racontant.)* C'est horrible !... Nous étions sur la mer de Glace... Le mont Blanc nous regardait tranquille et majestueux...

DANIEL, *à part* - Le récit de Théramène[1].

15 MADAME PERRICHON - Mais dépêche-toi donc !

HENRIETTE - Mon père !

PERRICHON - Un instant, que diable ! Depuis cinq minutes nous suivions, tout pensifs, un sentier abrupt qui serpentait entre deux crevasses... de glace ! Je marchais le premier.

20 MADAME PERRICHON - Quelle imprudence !

PERRICHON - Tout à coup, j'entends derrière moi comme un éboulement ; je me retourne : monsieur venait de disparaître dans un de ces abîmes sans fond dont la vue seule fait frissonner...

25 MADAME PERRICHON, *impatientée* - Mon ami...

PERRICHON - Alors, n'écoutant que mon courage, moi, père de famille, je m'élance...

MADAME PERRICHON *et* HENRIETTE - Ciel !

PERRICHON - Sur le bord du précipice, je lui tends mon bâton
30 ferré... Il s'y cramponne. Je tire... il tire... nous tirons, et, après une lutte insensée, je l'arrache au néant et je le ramène à la face du soleil, notre père à tous !... *(Il s'essuie le front avec son mouchoir.)*

HENRIETTE - Oh, papa !

35 MADAME PERRICHON - Mon ami !

---

1. Dans *Phèdre,* de Racine, Théramène raconte les circonstances de la mort d'Hippolyte, dans un récit assez emphatique.

2. Antérieurement, c'est à Armand que Perrichon a fait la même demande.

3. Brouillard froid, qui se transforme en glace.

PERRICHON, *embrassant sa femme et sa fille* - Oui, mes enfants, c'est une belle page...

ARMAND, *à Daniel* - Comment vous trouvez-vous ?

DANIEL, *bas* - Très bien ! ne vous inquiétez pas ! *(Il se lève.)*
40 Monsieur Perrichon, vous venez de rendre un fils à sa mère...

PERRICHON, *majestueusement* - C'est vrai !

DANIEL - Un frère à sa sœur !

PERRICHON - Et un homme à la société.

DANIEL - Les paroles sont impuissantes pour reconnaître un tel
45 service.

PERRICHON - C'est vrai !

DANIEL - Il n'y a que le cœur... entendez-vous, le cœur !

PERRICHON - Monsieur Daniel ! Non ! laissez-moi vous appeler Daniel ?

50 DANIEL - Comment donc ! *(A part.)* Chacun son tour[2] !

PERRICHON, *ému* - Daniel, mon ami, mon enfant !... votre main. *(Il lui prend la main).* Je vous dois les plus douces émotions de ma vie... Sans moi, vous ne seriez qu'une masse informe et repoussante, ensevelie sous les frimas[3]... Vous me devez tout,
55 tout ! *(Avec noblesse.)* Je ne l'oublierai jamais !

DANIEL - Ni moi !

PERRICHON, *à Armand, en s'essuyant les yeux* - Ah ! jeune homme !... vous ne savez pas le plaisir qu'on éprouve à sauver son semblable.

60 HENRIETTE - Mais, papa, monsieur le sait bien, puisque tantôt...

PERRICHON, *se rappelant* - Ah oui ! c'est juste ! Monsieur l'aubergiste, apportez-moi le livre des voyageurs.

MADAME PERRICHON - Pour quoi faire ?

PERRICHON - Avant de quitter ces lieux, je désire consacrer par
65 une note le souvenir de cet événément !

Labiche et Martin, *Le Voyage de Monsieur Perrichon,* II, 10.

Réfléchissons ensemble

1. Comment se manifeste l'attachement de Perrichon pour Daniel dans les attentions qu'il a pour lui au début de la scène ?

2. Dans le récit fait par Perrichon, relevez les expressions recherchées, littéraires. Pourquoi Perrichon emploie-t-il ce style ?

3. Comment Perrichon met-il en valeur l'héroïsme de son sauvetage ? Qu'y a-t-il de ridicule dans : « Je tire... il tire... nous tirons » ? En fait, Perrichon a-t-il pris beaucoup de risques ? A quoi se ramène son intervention ?

4. Comment Daniel exploite-t-il la situation en faisant habilement passer Perrichon de l'héroïsme à l'attendrissement ?

5. Commentez la parole de Perrichon : « Vous me devez tout, tout ! Je ne l'oublierai jamais ! » (On dit généralement : « Je vous dois tout ; je ne l'oublierai jamais. » Que révèle Perrichon sur ses sentiments profonds en modifiant ainsi l'expression ?)

Imaginons

Daniel n'avait pas prévenu Armand du stratagème qu'il avait imaginé. Ce dernier ne dit pas grand-chose pendant cette scène ; mais il n'en pense pas moins...

Imaginez qu'il rédige son journal intime, et qu'il raconte la scène à sa façon, en exprimant les réflexions qu'il se fait successivement.

PAUL VERLAINE

LA VIE HUMBLE...

Dans son recueil de poèmes intitulé *Sagesse* et paru en 1881, Paul Verlaine (1844-1896) a groupé des pièces d'inspiration chrétienne. Ce sonnet présente un idéal catholique de vie : une soumission sans réserves à la volonté de Dieu, l'acceptation d'autrui et de la monotonie quotidienne, par l'amour de Dieu et des hommes.

Rien d'héroïque, semble-t-il, dans cet idéal ! Le héros affronte le destin, le chrétien s'y soumet ; pour lui, la fierté du héros est de l'orgueil (comme le rappelle, selon Verlaine, l'*Ange gardien* que Dieu met aux côtés de chaque homme pour l'inciter au bien).

La vie humble aux travaux ennuyeux et faciles
Est une œuvre de choix qui veut beaucoup d'amour.
Rester gai quand le jour, triste, succède au jour,
Être fort, et s'user en circonstances viles[1];

5 N'entendre, n'écouter aux bruits des grandes villes
Que l'appel, ô mon Dieu, des cloches dans la tour[2],
Et faire un de ces bruits soi-même, cela pour
L'accomplissement vil de tâches puériles[3] ;

Dormir chez les pécheurs étant un pénitent[4] ;
10 N'aimer que le silence et converser pourtant ;
Le temps si long dans la patience si grande,

Le scrupule naïf aux repentirs têtus[5],
Et tous ces soins autour de ces pauvres vertus !
- Fi[6], dit l'Ange gardien, de l'orgueil qui marchande !

Paul Verlaine, *Sagesse*.

1. Basses, mesquines, dignes d'un être faible.
2. Le clocher de l'église.
3. Tâches faciles, à la portée d'un enfant.
4. Le *pénitent* essaie de racheter ses fautes et évite les *pécheurs* qui pourraient l'entraîner à de nouveaux manquements.
5. Le *scrupule* est un excès de conscience qui fait considérer comme graves des fautes légères ; signe d'une bonne volonté *naïve*, ce scrupule entraîne des *repentirs* tenaces, durables, dont on a peine à se débarrasser.
6. Interjection de désapprobation.

Réfléchissons ensemble

1. Relevez les expressions qui montrent :
- la monotonie des tâches quotidiennes ;
- les servitudes de la vie sociale.

2. Le bon chrétien tel que le dépeint Verlaine est-il, selon vous, un antihéros ? Ou estimez-vous que la volonté que demande cet effort constant, pendant toute la vie, permet de le considérer comme un héros ?

Expression écrite

Si vous étiez libre de choisir votre avenir, opteriez-vous pour l'aventure, ou pour une vie paisible ?

Peut-être essaieriez-vous de concilier les deux ; mais comment ?

ALBERT CAMUS

L'ÉTRANGER

Étrange héros, ou plutôt véritable antihéros, que celui de *l'Étranger* (1942) d'Albert Camus (1913-1960) !

Meursault est un homme qui ne se pose pas de questions ; s'il s'en pose, il ne cherche pas la réponse. Il semble absolument indifférent au monde qui l'entoure et même à l'écoulement du temps ; il semble enregistrer les faits qu'il perçoit sans juger, sans classer, sans essayer de comprendre, comme un simple appareil photographique.

Meursault est athée : ne croyant pas à un bonheur éternel après la mort, il a le sentiment que la vie est absurde, et il se sent sur terre comme un « étranger ».

Devenu sans raison et malgré lui un assassin, il sera condamné à mort et exécuté, prenant conscience aux derniers moments de « l'indifférence du monde ». L'antihéros est ici une victime, parce qu'il s'est contenté de vivre sans s'interroger.

Meursault a fait la connaissance de son voisin de palier, Raymond ; celui-ci avait pour amie une femme arabe avec laquelle il a rompu après l'avoir battue ; mais le frère de cette ancienne maîtresse cherche à venger sa sœur.

Raymond m'a téléphoné au bureau. Il m'a dit qu'un de ses amis (il lui avait parlé de moi) m'invitait à passer la journée de dimanche dans son cabanon, près d'Alger. J'ai répondu que je le voulais bien, mais que j'avais promis ma journée à une amie.
5 Raymond m'a tout de suite déclaré qu'il l'invitait aussi. La femme de son ami serait contente de ne pas être seule au milieu d'un groupe d'hommes.

J'ai voulu raccrocher tout de suite parce que je sais que le patron n'aime pas qu'on nous téléphone de la ville. Mais
10 Raymond m'a demandé d'attendre et il m'a dit qu'il aurait pu me transmettre cette invitation le soir, mais qu'il voulait m'avertir d'autre chose. Il avait été suivi toute la journée par un groupe d'Arabes parmi lesquels se trouvait le frère de son

ancienne maîtresse. « Si tu le vois près de la maison ce soir en rentrant, avertis-moi. » J'ai dit que c'était entendu.

Peu après, le patron m'a fait appeler et, sur le moment, j'ai été ennuyé parce que j'ai pensé qu'il allait me dire de moins téléphoner et de mieux travailler. Ce n'était pas cela du tout. Il m'a déclaré qu'il allait me parler d'un projet encore très vague. Il voulait seulement avoir mon avis sur la question. Il avait l'intention d'installer un bureau à Paris qui traiterait ses affaires sur la place, et directement, avec les grandes compagnies et il voulait savoir si j'étais disposé à y aller. Cela me permettrait de vivre à Paris et aussi de voyager une partie de l'année. « Vous êtes jeune, et il me semble que c'est une vie qui doit vous plaire. » J'ai dit que oui mais que dans le fond cela m'était égal. Il m'a demandé alors si je n'étais pas intéressé par un changement de vie. J'ai répondu qu'on ne changeait jamais de vie, qu'en tout cas toutes se valaient et que la mienne ici ne me déplaisait pas du tout. Il a eu l'air mécontent, m'a dit que je répondais toujours à côté, que je n'avais pas d'ambition et que cela était désastreux dans les affaires. Je suis retourné travailler alors. J'aurais préféré ne pas le mécontenter, mais je ne voyais pas de raison pour changer ma vie. En y réfléchissant bien, je n'étais pas malheureux. Quand j'étais étudiant, j'avais beaucoup d'ambitions de ce genre. Mais quand j'ai dû abandonner mes études, j'ai très vite compris que tout cela était sans importance réelle.

Le soir, Marie est venue me chercher et m'a demandé si je voulais me marier avec elle. J'ai dit que cela m'était égal et que nous pourrions le faire si elle le voulait. Elle a voulu savoir alors si je l'aimais. J'ai répondu comme je l'avais déjà fait une fois, que cela ne signifiait rien mais que sans doute je ne l'aimais pas. « Pourquoi m'épouser alors ? » a-t-elle dit. Je lui ai expliqué que cela n'avait aucune importance et que si elle le désirait, nous pouvions nous marier. D'ailleurs, c'était elle qui le demandait et moi je me contentais de dire oui. Elle a observé alors que le mariage était une chose grave. J'ai répondu : « Non. » Elle s'est tue un moment et elle m'a regardé en silence. Puis elle a parlé. Elle voulait simplement savoir si j'aurais accepté la même proposition venant d'une autre femme, à qui je serais attaché de la même façon. J'ai dit : « Naturellement. » Elle s'est demandé alors si elle m'aimait et moi, je ne pouvais rien savoir sur ce point. Après un autre moment de silence, elle a murmuré que j'étais bizarre, qu'elle m'aimait sans doute à

Meursault, interprété par Marcello Mastroianni, dans le film de Visconti.

cause de cela mais que peut-être un jour je la dégoûterais pour les mêmes raisons. Comme je me taisais, n'ayant rien à ajouter, elle m'a pris le bras en souriant et elle a déclaré qu'elle voulait se marier avec moi. J'ai répondu que nous le ferions dès qu'elle le
60 voudrait. Je lui ai parlé alors de la proposition du patron et Marie m'a dit qu'elle aimerait connaître Paris. Je lui ai appris que j'y avais vécu dans un temps et elle m'a demandé comment c'était. Je lui ai dit : « C'est sale. Il y a des pigeons et des cours noires. Les gens ont la peau blanche. »

Albert Camus, *L'Étranger,* 15, Éd. Gallimard.

Réfléchissons ensemble

1. Comment le style dépouillé (phrases courtes, souvent sans lien grammatical) traduit-il à lui seul la passivité, l'indifférence de Meursault ?

2. Relevez les expressions qui montrent que Meursault, loin d'être un révolté, ne cherche qu'à faire plaisir.

3. Meursault a-t-il envie de réussir dans sa profession, de s'y élever ?

4. Comment considère-t-il l'amour et le mariage ?

GEORGES DUHAMEL

UNE BLESSÉE COURAGEUSE

L'écrivain Georges Duhamel (1884-1966) était aussi chirurgien. Pendant la seconde guerre mondiale, en 1940, il soigna, « dans une ville de l'ouest, cinq à six cents blessés civils ramassés le long des routes, dans les champs, dans les bourgs ».

Cette dramatique aventure lui inspira un petit livre, *Lieu d'asile,* où il tentait de redonner l'espoir à ses compatriotes désemparés par la défaite, en leur montrant avec quelle constance les gens les plus modestes savaient « regarder le malheur en face ».

Le livre fut saisi par l'occupant et brûlé. Il ne put être publié à nouveau qu'en 1945.

A l'hospice de Pontchaillou, on a aménagé à la hâte des baraquements pour recevoir les blessés évacués des hôpitaux ou bombardés sur la route de l'exode. Entre tant d'autres, voici Marcelle Boissière.

Marcelle Boissière, qui n'a pas plus de vingt-cinq ans, devait être une grande jeune femme alerte, allègre[1] et élégante. Elle a été blessée comme tant d'autres, au bord de la route. Elle s'était couchée par terre avec ses parents qui, par chance, sont sortis
5 de là sans dommage. Quand Mme Boissière est arrivée chez nous, elle avait subi, en chemin, l'amputation de la cuisse droite : une de ces opérations que l'on dit « régularisatrices » parce qu'elles complètent en l'ordonnant l'œuvre du projectile. Quant à l'autre jambe de Mme Marcelle elle était si grièvement
10 déchirée et infectée, elle exhalait une si poignante odeur de mort que j'ai dû me résoudre, avec une grande tristesse, à la couper aussi, et même au-dessus du genou.

1. Pleine d'entrain.

C'était un jour de presse et de bousculade. Je n'ai pas revu Mme Marcelle jusqu'au lendemain matin.

15 Or, le lendemain matin, quand je suis entré dans le pavillon, j'ai tout de suite aperçu Mme Marcelle Boissière. Elle était assise dans son lit, assise sur ses deux moignons. Elle s'appuyait, en avant, sur le cerceau de fil de fer qui porte draps et couvertures. Elle avait une chemise propre, une belle camisole[2] blanche. Elle 20 était coiffée avec soin, ce qui s'expliquait d'autant mieux, m'a-t-elle déclaré tout de suite, qu'elle avait une bonne « permanente ». C'est ainsi que se présentait Mme Boissière moins de vingt-quatre heures après sa seconde opération, et c'est ainsi que nous l'avons vue, calme et souriante, pendant tout son 25 séjour parmi nous.

Signe particulier : Mme Marcelle soulève ses moignons elle-même quand nous en faisons le pansement. Si nous disons « un peu plus haut », elle fait avec courage ce qu'il faut faire pour mieux nous présenter la plaie.

30 Je lui ai demandé quel était son « état » dans la vie, naguère, avant cette horrible histoire. Elle m'a répondu simplement : « J'étais avec mes parents qui tenaient un café. Toujours debout, toujours en mouvement. Alors, pensez... »

Mme Boissière a de beaux yeux où brille la sérénité. Elle a 35 des dents un peu apparentes sans doute, un peu rangées au hasard, mais parfaitement blanches et gentilles. Elle est au premier rang des victimes innocentes, mais elle ne se plaint jamais et pourrait, par la seule vertu de son sourire, donner une leçon à tous les philosophes du monde et même aux plus fermes 40 stoïciens[3]. Elle raconte ainsi l'histoire de sa blessure : « Nous étions tous dans le fossé quand la bombe a fait explosion. J'ai tout de suite eu le sentiment que mes jambes étaient paralysées. Je me suis retournée, comme ça, et qu'est-ce que j'ai vu ? Une de mes jambes, tout debout, à côté de moi. Je n'ai pas perdu 45 connaissance, je n'ai rien dit, à cause de maman qui est très impressionnable... »

Après une minute de silence, Mme Marcelle continue son récit qui mérite d'être rapporté. « Il passait beaucoup de

---

2. Vêtement à manches, qui se porte sur la chemise.
3. Disciples de Zénon, philosophe grec du IVe siècle av. J.-C., qui enseignait qu'on doit, par un effort de volonté, mépriser la douleur.

voitures, dit-elle ; mais personne ne voulait me prendre. Vous
50 comprenez... Enfin, une voiture est arrivée, avec trois officiers, et ceux-là m'ont prise avec eux. Malheureusement, les avions sont revenus et le bombardement a recommencé. J'ai dit aux officiers. « Descendez. Allez vous cacher. » Ils sont descendus, sauf un qui est resté près de moi et qui m'a tenu la main
55 pendant que les bombes tombaient. Nous n'avons pas été blessés cette fois-là, ni l'un ni l'autre. Pensez... »

Mme Marcelle Boissière se tait. Elle nous invite à penser et nous ne saurions vraiment mieux faire que de suivre ce conseil.

Georges Duhamel, *Lieu d'asile*, XXI,
Éd. Mercure de France.

Réfléchissons ensemble

1. Comment peut-on imaginer Marcelle Boissière avant sa blessure ?

2. Pourquoi l'amputation des deux jambes est-elle particulièrement grave pour elle ?

3. Comment se comporte-t-elle après la seconde amputation ? Comment interprétez-vous son souci d'élégance ?

4. En quoi son attitude est-elle digne d'un stoïcien ?

5. Dans le récit qu'elle fait des deux bombardements, montrez qu'elle pense aux autres plus qu'à elle-même.

6. Comment interprétez-vous la dernière partie du récit ?

Expression écrite

« Pensez... » dit volontiers Marcelle Boissière. Quelles réflexions vous suggère son histoire ?

Voici quelques thèmes :
- le courage dans les épreuves ;
- la volonté de vivre malgré tout ;
- le respect des autres ;
- l'entraide dans le malheur.

COMPTES RENDUS, RECHERCHES, EXPOSÉS

Voici, pour vous aider, l'indication de quelques textes traitant du héros. Il en existe beaucoup d'autres.

Hercule (Ovide, *Les Métamorphoses,* IX, 1-272).
David contre le géant Goliath (La Bible, *Samuel,* I,17).
Ulysse (Homère, *L'Odyssée* - « Œuvres et Thèmes »).
Roland *(La Chanson de Roland ;* Hugo, *Le Mariage de Roland - La Légende des siècles,* X, 2).
Tristan *(Tristan et Yseut).*
Napoléon (Hugo, *L'Expiation - Les Châtiments,* V,13 ; *Napoléon II - Les Chants du crépuscule,* V).
A la recherche de l'héroïsme (Stendhal, *La Chartreuse de Parme,* III).
Héros malgré soi (Voltaire, *Candide,* 2-3 ; Maupassant, *Deux amis).*
Héros obscurs (Hugo, *Les Pauvres gens - La Légende des siècles,* III).
Enfant-héros : Gavroche (Hugo, *Les Misérables* - « Œuvres et Thèmes »).
Héros romanesque (Th. Gautier, *Le Capitaine Fracasse* - « Œuvres et Thèmes »).
Héros imaginaire (Daudet, *Tartarin de Tarascon).*
Antihéros (Beckett, *En attendant Godot).*

Vous pourrez étudier aussi les nombreux types de héros proposés par le cinéma, le roman policier, la bande dessinée... et même la publicité.

EXPRESSION ÉCRITE

Au terme de cette étude de l'héroïsme, qu'est-ce, pour vous, qu'un héros ?

Table des illustrations

IMPRIMERIE AUBIN, 86240 LIGUGÉ
D.L., juin 1984. — Edit., 7101. — Impr., L 16778
Imprimé en France